東南アジア

サクッとわかる

ビジネス教養

助川成也 監修

国士舘大学 教授

新星出版社

はじめに

introduction

日本企業の海外展開「第三幕」のカギを握る「東南アジア」の多様性を理解することは必須！

1985年のプラザ合意による急激な円高ドル安を受け、数多くの日本企業は新たな生産地として「東南アジア」を目指しました。日本企業の海外展開の「第一幕」です。労働者が勤勉で人件費が安い東南アジアは、日本企業の海外生産を支えてきました。

2000年代、少子高齢化による人口減少で、日本市場は縮小を余儀なくされる中、企業は新たな市場開拓先として、比較的近く、成長著しい「東南アジア」に注目しました。日本企業の海外展開の「第二幕」です。特に2008年以降、東南アジア10ヵ国は「ASEAN経済共同体」構築を目指し、域内の関税や規制を撤廃・簡素化し、「単一」の市場と生産拠点への脱皮を図りました。6.6億人の人材・市場の最大活用を目指す戦略が問われました。

そして2020年代、日本企業の海外展開の「第三幕」が切って落とされました。世界では米国と中国の覇権争いが経済面にも飛び火、東南アジアも無関係ではいられません。一方で、世界最大のFTA「包括的な経済連携協定」（RCEP）が実現、その中心にASEANが位置づけられています。日本企業はいかに版図を拡げ、自身の成長を目指すか、知恵比べが始まっています。

日本を含め主要国が入り乱れる東南アジアで、日本の圧倒的な武器は現地からの「信頼感」。日本企業の長年にわたる事業展開に際し、一方的な利益追求ではなく、技術移転を含めた人材の育成など現地との「共生」を目指したその姿は、日本への「高い信頼感」という財産になり、他国とは別格の位置づけを得ています。

日本人ビジネスマンがこの荒海を航海するには、その中心に位置する東南アジアの理解が不可欠です。民族のみならず、宗教、言語、文化も異なり、また政治体制でも民主主義が浸透する国がある一方、社会主義、権威主義、さらには国軍が隠然と影響力を持つ国もあります。まさにその姿は「多様」。多様性の理解に、きっと本書が役立ちます。本書は、日本のビジネスマンがこの荒海を航海する上で、羅針盤になることでしょう。皆さんのビジネスでの成功、東南アジア理解の一助となれば幸いです。

国士舘大学 教授　助川成也

サクッとわかるビジネス教養

東南アジア

CONTENTS

第1章 東南アジアの社会・経済

Society & Economy of Southeast Asia

第2章

Politics & History of Southeast Asia

東南アジアの政治・歴史

第3章 東南アジアの各国事情

Circumstances of each country in Southeast Asia

STAFF

デザイン……鈴木大輔、仲條世菜（ソウルデザイン）
イラスト……田中未樹
DTP……高八重子
企画……千葉慶博（KWC）
編集……相澤優太

やがて日本を超える!?

急成長する東南アジア

東南アジアを知れば世界に一歩踏み出せる

日本から近い距離にありながら、あまり馴染みのない東南アジア。あなたはどのような風景を想像しますか？ 水田の広がる牧歌的な農村、ヤシの木が並ぶ美しい海岸、ボランティアのポスターに映る学校不足や貧困の問題……。これらは東南アジアにおける、一つの側面に過ぎません。

現在、東南アジア社会は急速に発展、都市化しており、世界中の企業や政府、投資家が注目しています。経済成長率が高く、外資企業の参入が相次いでいるのです。

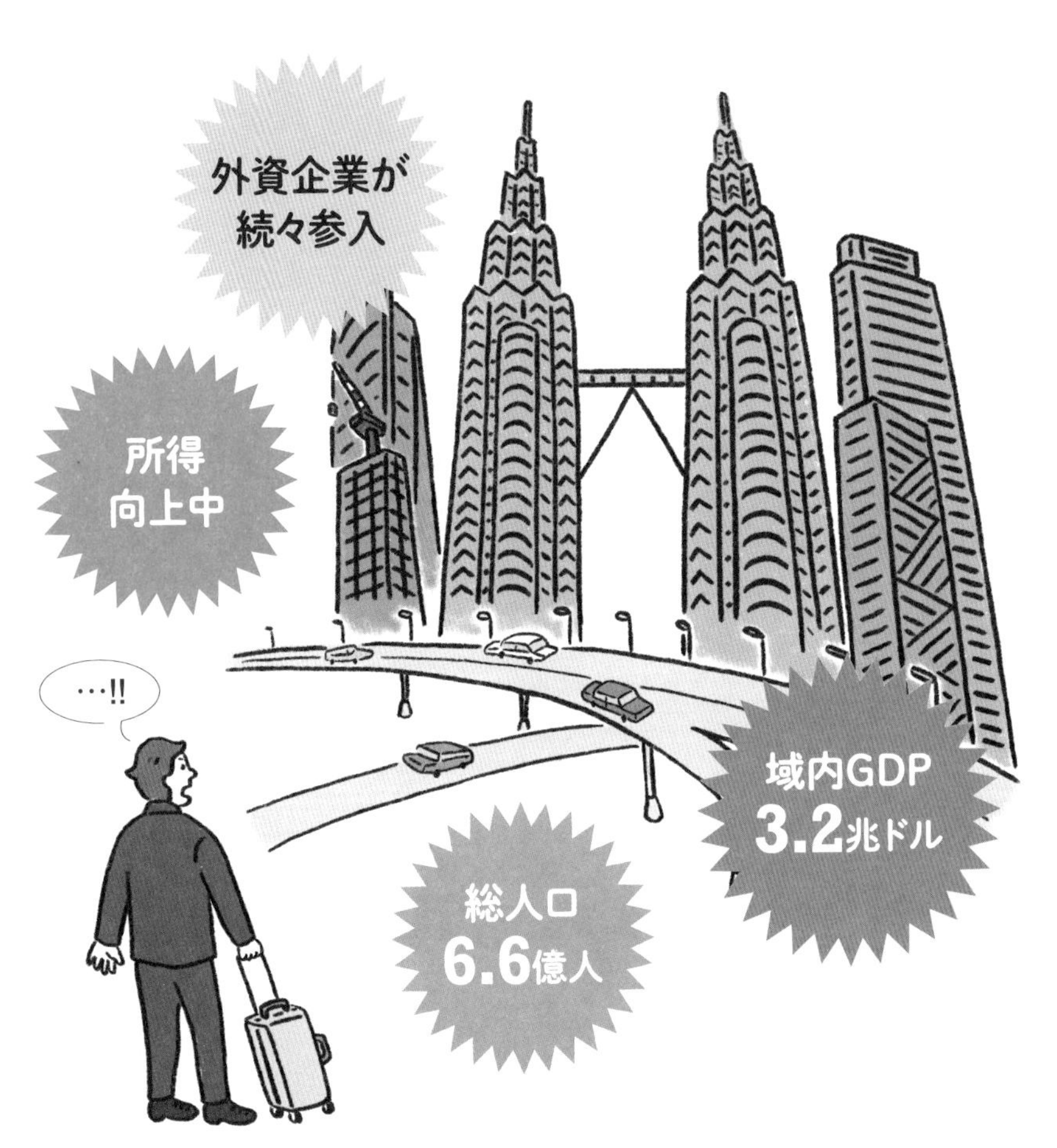

域内累計6.6億人の人口や高い成長性、さらに治安が比較的安定していることから、近い将来、先進国入りを果たす国も現れるでしょう。

一方、少子高齢化による労働力不足や国際競争力の低下に悩む日本の企業は、新たな生産拠点や市場を求めて東南アジアに積極的に進出しており、政府もそれを推進しています。

既に東南アジアは私たちのビジネスにおいて欠かせない地域になっています。そのリアルな姿を知ることは、新しい時代の強い武器になるでしょう。

タイ
国王のいる
立憲君主制
シンガポール
ビジネスの中心で
国籍や
宗教には寛容
インドネシア
超多民族国家だが
インドネシア語で
言語を統一
敬虔な
仏教徒が多い国
カンボジア
ミャンマー
民主化した後、
2021年に
クーデター発生
ラオス
山岳国家で
東南アジアの
バッテリー
マレーシア
イスラム教が
国教で
国王がいる

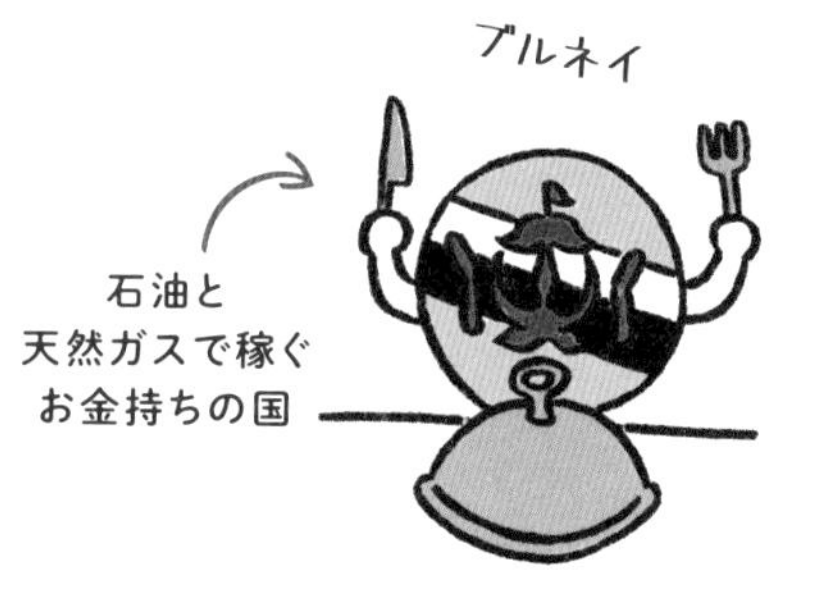
ブルネイ
石油と
天然ガスで稼ぐ
お金持ちの国

民族、宗教、政治体制はバラバラ！その“個性”こそ、東南アジアを知るカギ

2002年に
独立したばかり
東ティモール

あらゆる文化が共存する〝多様性の教科書〟

東南アジアには11の国があります。それぞれの国は、異なる言語、民族、文化を持っており、宗教や政治体制、経済水準もバラバラです。そのため、一口に「東南アジアは〇〇！」と語ることはできません。むしろ、多様な価値観が共存する、世界でも稀な地域です。それぞれの国の個性を楽しみながら学ぶことが、東南アジアの全体像をつかむ近道になります。

ダイバーシティという言葉の普及から読み取れるように、21世紀は多様な価値観を尊重することが重要な時代です。同一民族が圧倒的多数を占める日本に暮らす私たちは、多文化共生を実現する東南アジアから学ぶことも多いのです。

一つになる 絶大なパワー

世界で最も成功した地域協力機構

文化や政治がバラバラな東南アジア諸国ですが、「ASEAN（東南アジア諸国連合）」として共同体を形成しています。広域の国家間組織としてはEU（欧州連合）などが有名ですが、ASEANの構造は実に特徴的。加盟国それぞれの事情や価値観が異なるので、他国に干渉しない、極めて緩やかなつながりなのです。

この〝ユルさ〟は国家間の対立を避け、チームワー

ASEANで
東南アジアの

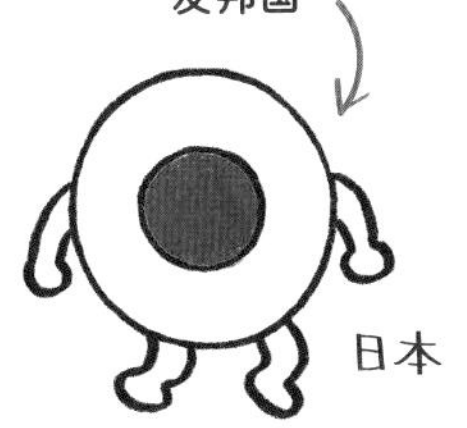

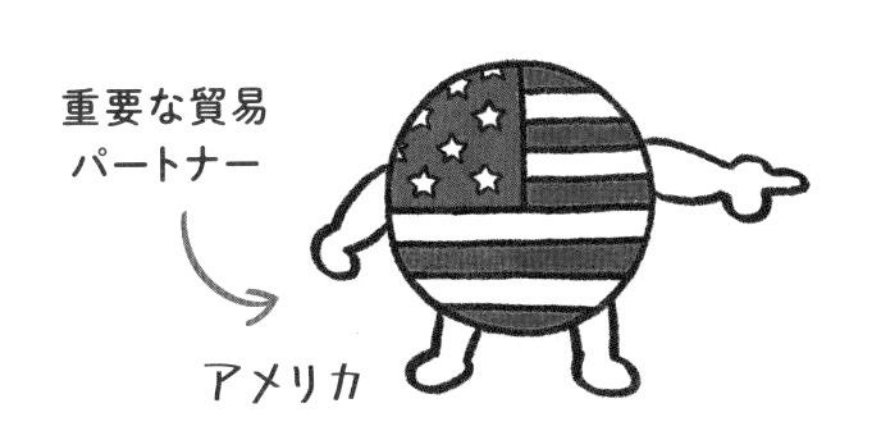

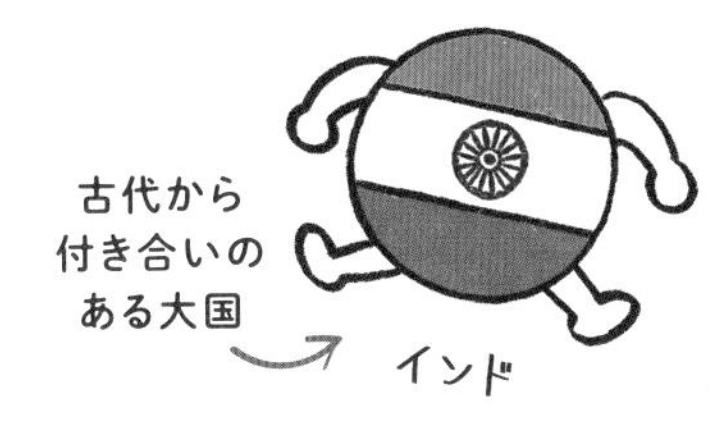

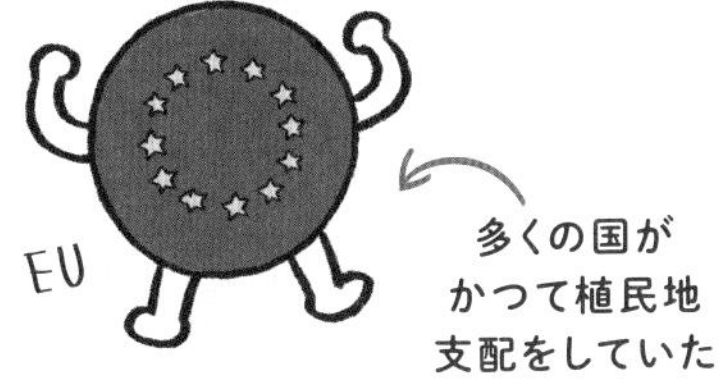

クを強める秘訣になっています。干渉し過ぎない関係性は築きつつも、一つの共同体として大国に対して一枚岩で挑んだり、不況を協力して乗り越えたりと、ASEANの歩みはまるで青春ドラマのよう。「最も成功した地域協力機構」ともいわれています。

さらに近年は、自由貿易をはじめ経済的連携を強化する共同体づくりが進んでいます。中国やインドの台頭が著しい中、ASEANもやがて国際的な影響力を強めていくでしょう。

東南アジアの地図

沖縄本島
台湾

ルソン島
フィリピン
太平洋
マニラ
ミンダナオ島
セレベス海
スラウェシ島
ニューギニア島
パプアニューギニア
バンダ海
インドネシア
東ティモール
アラフラ海
ディリ
ティモール海

インド
中華人民共和国
バングラ
デシュ
ミャンマー
ハノイ
ネーピードー
ラオス
チェンマイ
ビエンチャン
ベンガル湾
ヤンゴン
タイ
インドシナ半島
バンコク
ベトナム
カンボジア
南シナ海
プノンペン
アンダマン海
ホーチミン
ブルネイ
マレー半島
バンダル・
スリ・ブガワン
クアラルン
プール
マレーシア
シンガ
ポール
カリマンタン島
（ボルネオ島）
スマトラ島
インド洋
ジャワ海
ジャカルタ
ジャワ島

東南アジア各国の基本情報

タイ王国	ミャンマー連邦共和国	マレーシア
約6,960万人(50.7%)	約5,280万人(30.9%)	約3,260万人(76.6%)
51万3,120㎢	67万6,590㎢	33万345㎢
バンコク (約570万人)	ネーピードー (約120万人)	クアラルンプール (約180万人)
立憲君主制	大統領制、共和制	立憲君主制
約5,440億ドル	約690億ドル	約3,650億ドル
約7,800ドル	約1,300ドル	約11,200ドル
3.7%	6.9%	5.2%
タイ族	ビルマ族	マレー系が多数
タイ語	ミャンマー語	マレー語
仏教(上座部)	仏教(上座部)	イスラム教
バーツ	チャット	リンギット
農業(12%) 製造業(約34%)	農業、天然ガス、製造業	製造業(電気機器) 農林業(天然ゴム、パーム油、木材) 鉱業(錫、原油、天然ガス)

東南アジア全体情報

人口 6.6億人　名目GDP 3.2兆ドル　一人当たりGDP 4,800ドル

日本

人口 1.3億人　名目GDP 5.1兆ドル　一人当たりGDP 40,000ドル

	ベトナム社会主義共和国	カンボジア王国	ラオス人民民主共和国
人口（都市人口比率）	約9,650万人（36.6%）	約1,650万人（23.8%）	約720万人（35.7%）
面積	33万1,230㎢	18万1,040㎢	23万6,800㎢
首都（首都人口）	ハノイ（約840万人）	プノンペン（約200万人）	ビエンチャン（約70万人）
政治体制	社会主義共和制	立憲君主制	人民民主共和制
名目GDP	約3,300億ドル	約270億ドル	約190億ドル
一人当たりGDP	約3,400ドル	約1,600ドル	約2,700ドル
GDP成長率（2015→19年平均）	7.7%	7.9%	7.0%
主要民族	キン族（越人）	クメール族	ラオ族
主要言語	ベトナム語	クメール語	ラオス語
主要宗教	仏教（大乗）	仏教（上座部）	仏教（上座部）
通貨	ドン	リエル	キープ
主要産業	農林水産業（14.57%） 鉱工業・建築業（34.28%） サービス業（41.17%）	農業（25.0%） 工業（32.7%） サービス業（42.3%）	サービス業（約42%） 農業（約15%）、工業（約31%） 製品及び輸入に係る税（約11%）

フィリピン共和国	インドネシア共和国	東ティモール民主共和国
約1億730万人(47.2%)	約2億6,690万人(56.0%)	約130万人(31.0%)
30万km²	191万3,580km²	1万4,870km²
マニラ (約1,370万人)	ジャカルタ (約1,060万人)	ディリ (約20万人)
立憲共和制	大統領制、共和制	共和制
約3,770億ドル	約11,200億ドル	約20億ドル
約3,500ドル	約4,200ドル	約1,300ドル
7.3%	5.5%	0.5%
マレー系が多数	マレー系が多数	テトゥン族
フィリピノ語(タガログ語)、英語	インドネシア語	テトゥン語、ポルトガル語、インドネシア語
キリスト教(カトリック)	イスラム教	キリスト教(カトリック)
ペソ	ルピア	米ドル
ビジネス・プロセス・アウトソーシング(BPO)産業を含むサービス業(約60%)、鉱工業(約30%)、農林水産業(約10%)	製造業(19.9%)、農林水産業(12.8%)、商業・ホテル・飲食業(15.8%)、鉱業(8.1%)	農業

参照：IMF・世界経済見通し（2020 年 10 月版）、世界銀行、国連、JETRO、外務省ホームページなどを元に編集部にて作成
※人口、首都人口、名目 GDP、一人当たり GDP は 2019 年。推計値を含む。面積は 2018 年
※シンガポールの人口には、国民、永住者、1 年を超える長期滞在の外国人を含む
※ブルネイの人口は外国人在留者を含む　※主要産業のカッコ内の数字は GDP に占める割合
以上、P118 ～ 173 についても同様。

	シンガポール共和国	ブルネイ・ダルサラーム国
人口（都市人口比率）	約570万人（100%）	約50万人（77.9%）
面積	719k㎡	5,770k㎡
首都（首都人口）	–	バンダル・スリ・ブガワン（約10万人）
政治体制	立憲共和制	立憲君主制
名目GDP	約3,720億ドル	約130億ドル
一人当たりGDP	約65,200ドル	約29,300ドル
GDP成長率（2015→19年平均）	3.1%	0.7%
主要民族	中国系が多数	マレー系が多数
主要言語	英語、中国語（北京語）、マレー語、タミル語	マレー語、英語、中国語
主要宗教	仏教	イスラム教
通貨	シンガポール・ドル	ブルネイ・ドル
主要産業	製造業（エレクトロニクス、化学関連、バイオメディカル、輸送機械、精密器械）、商業、ビジネスサービス、運輸・通信業、金融サービス業	石油、天然ガス（50%以上）

助川教授の東南アジア・コラム

01

東南アジアを知る上で欠かせない貿易港という拠点の概念

古代から現代に至るまで、東南アジアの発展は、主要な貿易港を抱えていたことと大きく関係しています。貿易港を起点にした発展は、日本人にはイメージしづらい概念かもしれません。なぜ、船が行き来する港を持つことで、国が発展するのでしょうか。

港にはまず、船で運ばれた資材を積み下ろしする人員が必要になります。すると彼らを雇う組織が生まれ、生活をするためのサービスが集まります。こうして生まれた小さな経済圏から、港市国家や港湾都市が発展してきました。また工業では、生産拠点が港に近いほど資材を低コスト・短時間で調達でき、ビジネスが一気に有利になるため、企業は次々と港付近に工場を構えるのです。さらに、マラッカ海峡のような国際的な海運拠点を持つことができれば、他国間の貿易に参入することができます。例えば、中東でとれた原油をアジアに届ける場合、必ずマラッカ海峡を通ります。そのためシンガポールをはじめとして、原油をガソリン・灯油・重油などの石油製品に変える精製拠点が、東南アジアに多数設置されました。これにより石油製品の輸出で、圧倒的に優位に立つことができます。

もちろん、貿易には陸運や空運もありますが、輸送コストが圧倒的に安い海運は社会において欠かせません。日本と東南アジアの貿易も、9割以上が海運によるものです。国際的な貿易港を持つことができれば、その後の経済の好循環につながるのです。

第1章

Society & Economy
of Southeast Asia

東南アジアの
社会・経済

急速に発展する東南アジアでは、人々はどのように
暮らしているのでしょうか。生活や所得、
産業に至る、リアルな姿を
見ていきます。

Keywords

#文明の交差点 #メコン川 #熱帯 #モンスーン #多様性
#公用語 #華人 #少数民族 #上座部仏教 #イスラム教
#経済成長 #人口ボーナス #経済回廊 #中進国の罠
#チャイナ・プラスワン #GDP #賃金 #所得格差
#インフラ整備 #識字率 #エネルギー #デジタル化
#スマートフォン #自動車産業 #天然資源 #南シナ海
#対日感情 #福田ドクトリン

陸と海で構成される東南アジアの地理

東南アジアは、大陸部と島嶼部（とうしょ）の二つに分けられます。
まずは、11 カ国の位置関係をおさえておきましょう。

\ POINT /
1

中国、インド、太平洋……諸地域と接する文明の交差点

東南アジアは、東アジアと南アジアの間に位置する地域で、東には太平洋が広がっています。日本や中国、インド、オーストラリア、アメリカなどの国々と密接な関係にある、国際的に重要な地域です。

POINT 2

これぞ南国!!
東南アジアの熱帯気候

日本のはるか南にあり、
赤道付近に位置する東南アジアは、
高温・多雨の熱帯に区分されます。
年間を通じて気温・湿度が高く、
常夏のような気候の国がほとんど。
また、雨期と乾期を持つ
地域があることも特徴です。

POINT 1

地理

中国、インド、太平洋……諸地域と接する文明の交差点

日本の南西に位置する東南アジアは、東アジア、南アジア、オセアニアに囲まれた地域。中国やインドに隣接するだけでなく、古くから東洋と西洋をつなぐ**重要な交易拠点であり、宗教、文化、人種の交差点**でした。

東南アジアは、大きく大陸部と島嶼部に二分されます。**大陸部は、「インド」と「シナ（中国）」に挟まれたインドシナ半島にある地域。**ベト

東南アジアは、地球上の要衝

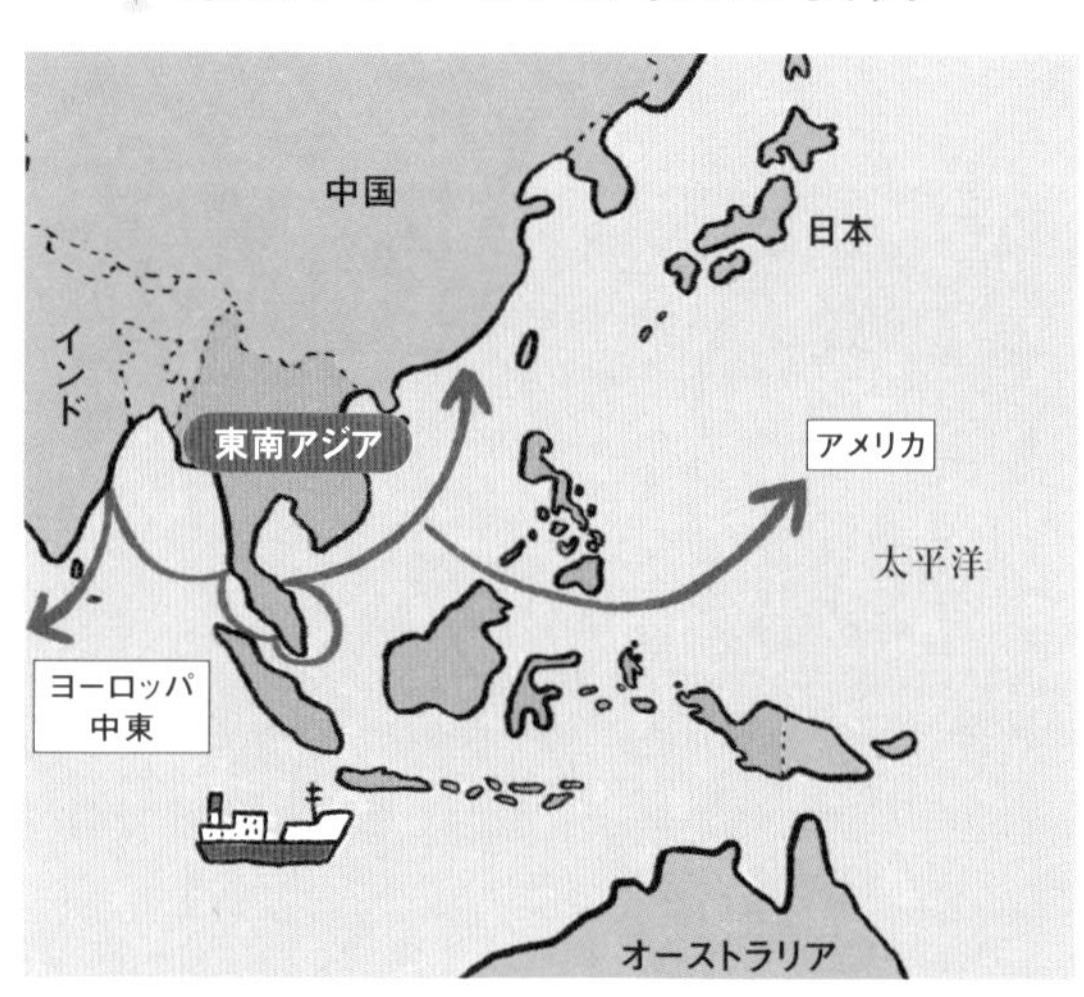

東南アジアは、ヨーロッパや中東と、中国や日本との海洋貿易に避けて通れない地域。そのため、古代から港湾都市が築かれ、国際的な重要拠点として発展してきました。こうした歴史から、文化や宗教は中国、インド、イスラム諸国、ヨーロッパからの影響を受けています。地政学的重要性は、アメリカや中国が台頭した現代に引き継がれ、東アジアサミットを主宰するなど、国際政治・経済において大国のつなぎ役を担っています。

ナム、カンボジア、ラオス、タイ、ミャンマーの5ヵ国から構成されます。北部の山岳地帯から大河が流れ、河口付近に、バンコクやホーチミンなどの巨大な都市が点在しています。

島嶼部は、太平洋とインド洋を分ける、マレー半島と無数の島々から構成される地域。マレーシア、シンガポール、ブルネイ、フィリピン、インドネシア、東ティモールの6ヵ国があります。

大陸部と島嶼部の区分けは、東南アジアを理解する重要なポイントです。

大河でデルタが形成される大陸部

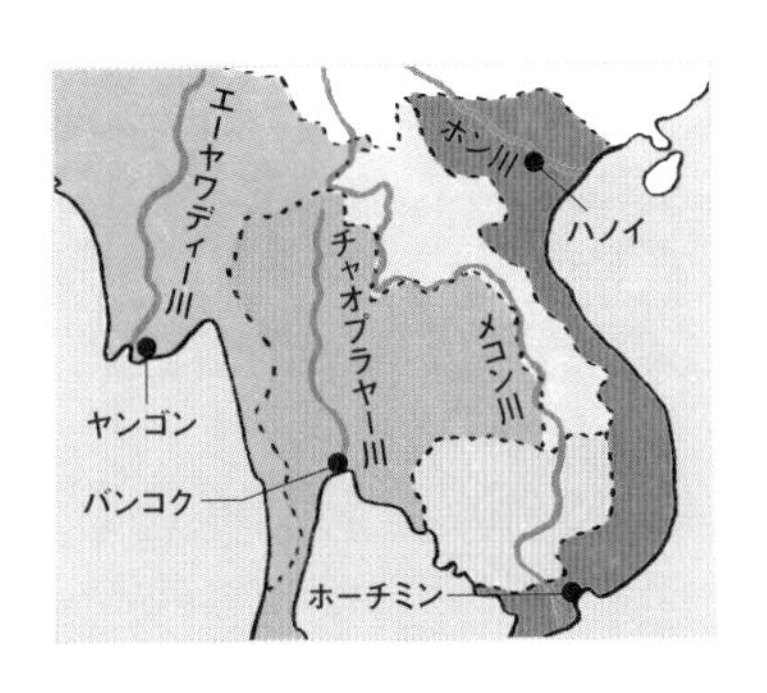

インドシナ半島には、メコン川、チャオプラヤー川、エーヤワディー川、ホン川といった大河が流れ、河口付近には広大なデルタ地帯が広がっています。特にメコン川は、国境を越えて大陸部の全ての国を流れる、重要な国際河川になっています。

無数の島々から構成される島嶼部

島嶼部には、2万を超える大小の島々があり、複数の島々にまたがる国、島の一部である国など、国土面積はさまざまです。スマトラ島、ジャワ島、スラウェシ島などを抱えるインドネシアは東南アジアの中でも最も大きな国で、日本の5倍以上の面積があります。

POINT 2

気候

これぞ南国!! 東南アジアの熱帯気候

気候区分上、東南アジアは熱帯に分類されます。気温は年間を通じて高く、多湿であるため、日本の夏のような、蒸し暑い日が1年中続きます。雨量も多く、スコールと呼ばれる突然の強い降水も有名です。

大陸部と島嶼部を比べると、年間の気温差は大陸部の方が大きく、高緯度地帯の山岳部ほど気温は低くなります。**大陸部は雨期と乾期があり、降**

雨期と乾期とは? 大陸部の気温と降水

大陸部の多くの地域では、雨期と乾期が明確に区分されます。雨期は6～11月頃、乾期は12～5月頃で、雨期は東京よりも降水量が多く、乾期は少なくなることが多いです。9、10月は特に雨量が増え、洪水が度々発生します。

平均気温と降水量

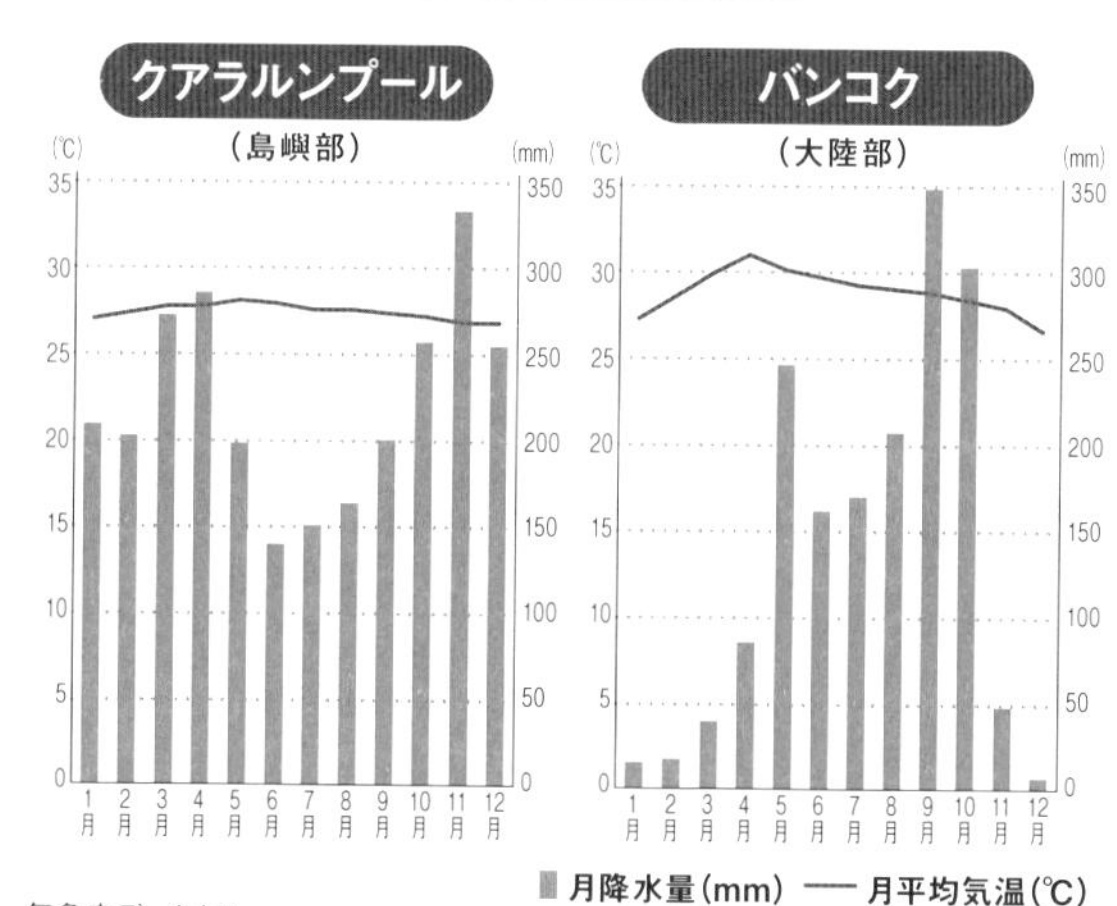

気象庁データより

水量が季節ごとに大きく変化することが特徴です。雨期・乾期には、**季節によって風向きが変わるモンスーン**が大きく影響しています。

一方、島嶼部は、年間の気温差が少なく、降水量も年中多い地域です。シンガポールやマレーシアなど赤道に近い国でも、海に囲まれた環境などにより、蒸し暑さはそこまで気になりません。

このように高温多湿な東南アジアでも、ビジネスマンは**ジャケットを羽織ることがマナー**であり、日本からの出張者は注意が必要です。

古代の航海も支えた季節風"モンスーン"

モンスーンとは、夏と冬で風向きが反対になる季節風のこと。古代の商人は、風向きの変化を航海に利用し、季節風貿易をしていました。東南アジアでは、夏は南西風、冬は北東風が吹き、多くの地域で夏のモンスーンが雨期を、冬のモンスーンが乾期をもたらします。

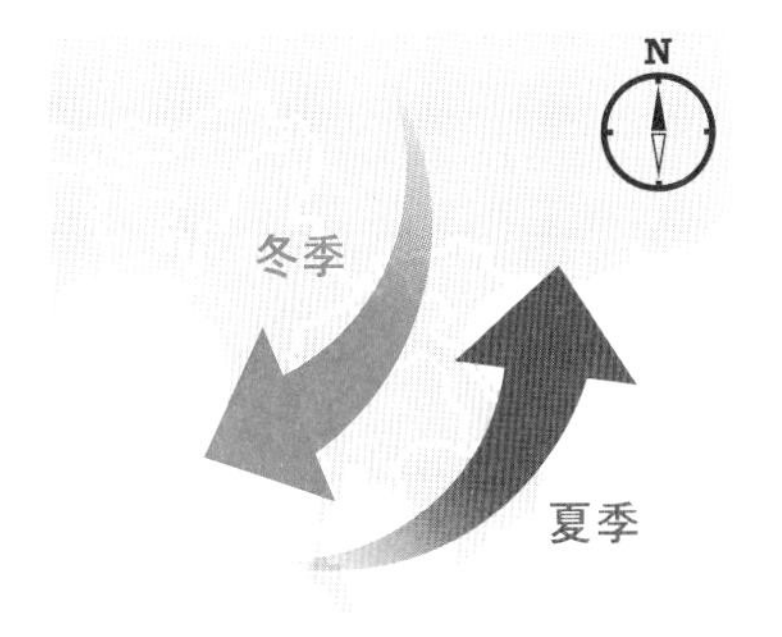

スーツの着こなしに注意 出張の際の服装は!?

東南アジアでは、エアコンの効いた室内で働くことがステータスという意識があるようで、熱帯地域にもかかわらずジャケットとネクタイを着用するビジネスマンが大多数。そのため、日本人が半袖のシャツ一枚で出張すると、現地で浮いてしまうかもしれません。事前の確認が肝要です。

多様性の土壌で育まれる 各国独自の文化

一口に東南アジアといっても、国ごとに文化は大きく異なります。
民族や宗教の多様性に、驚くかもしれません。

各国の主要民族

タイ族、ビルマ族、
マレー族など、
国によってもバラバラ

少数民族

山奥、離島に
無数に点在

外来の民族

中国系、インド系etc

\ POINT /
1

国内でも多様な 複雑すぎる民族と言語

東南アジアでは国ごとに民族が異なります。
それぞれの国は、主要民族と複数の
少数民族によって構成されており、
さらに中国やインドからの外来民族もいます。
公用語はありますが、各民族の言語も
生活の中で残っています。

POINT 2

仏教、イスラム教、キリスト教……
生活に深く根差すそれぞれの宗教

宗教も国ごとに異なっています。
大陸部は仏教が、
島嶼部はイスラム教が
主に信仰されている一方で、
フィリピンと東ティモールには
キリスト教徒が多くいます。

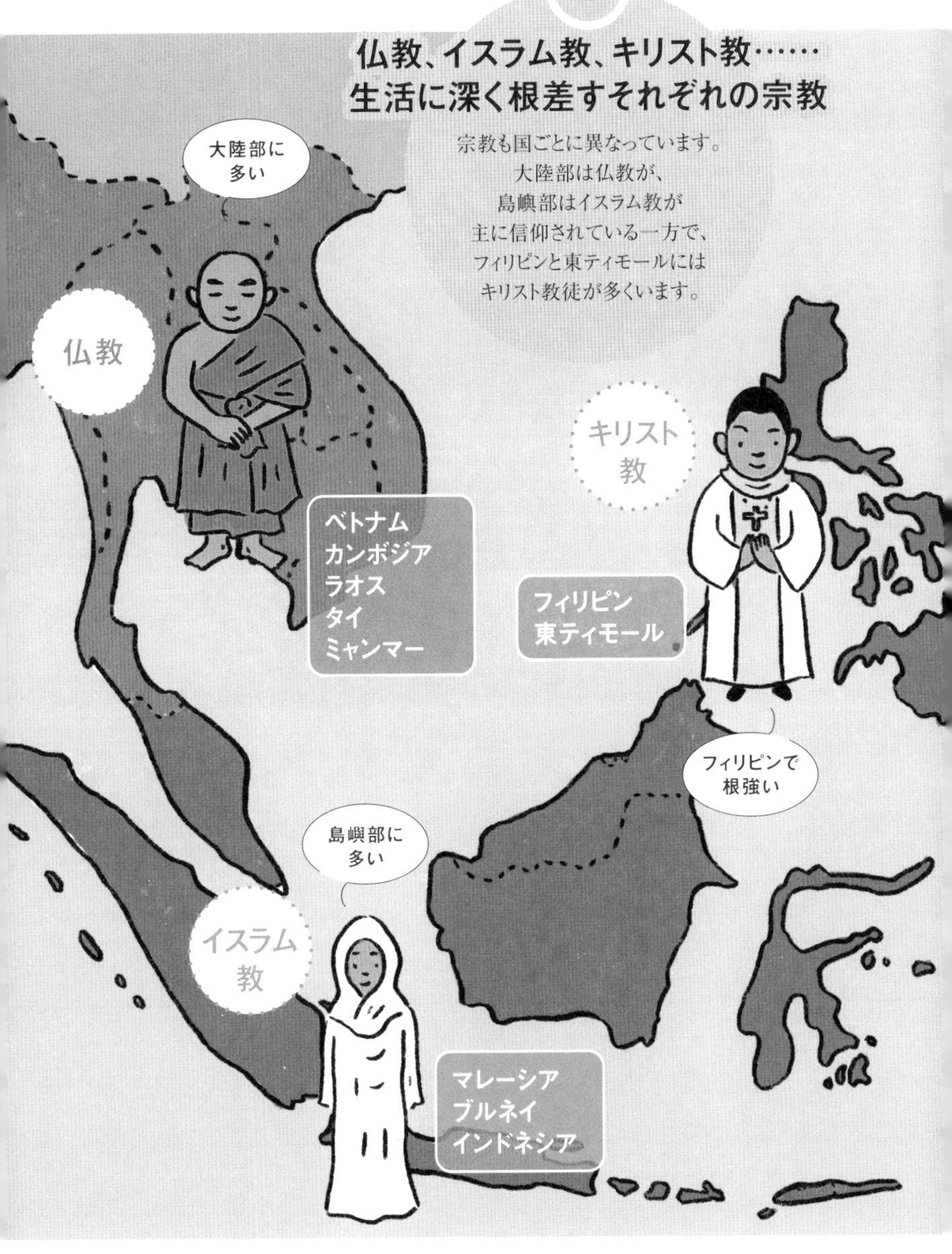

POINT 1

民族

国内でも多様な複雑すぎる民族と言語

東南アジア各国の国境は、植民地時代に欧米諸国が民族やその居住域、国民の意思に関係なく人為的に定めたものです。近代以前から、現地には多様な民族が存在していましたが、第二次大戦後、植民地時代の国境を踏襲したまま各国が独立したという経緯から、東南アジア諸国には多様な民族が混在しています。

各国の多数派民族は主に平地の都市部に居住しています。

国ごとの言語と公用語

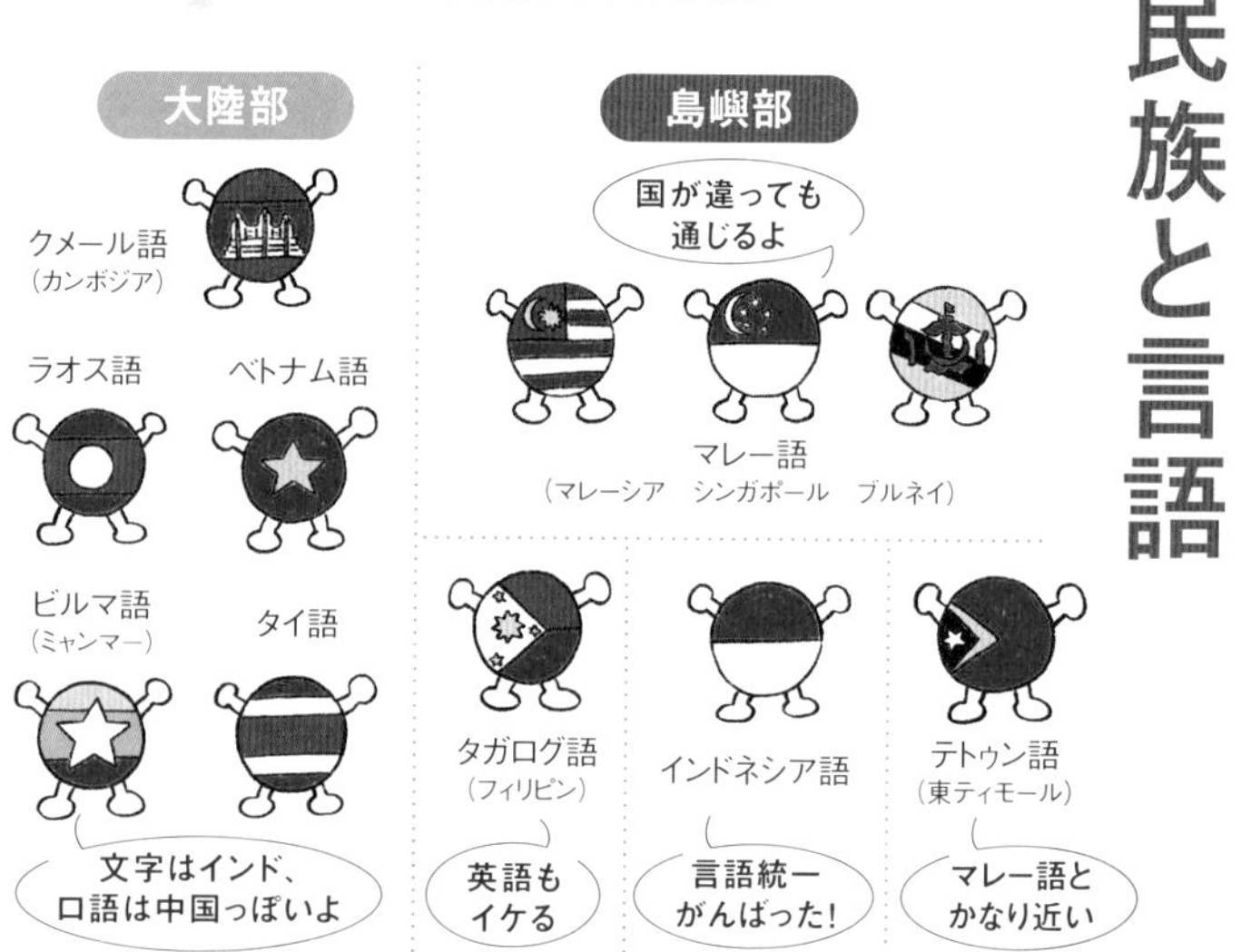

多くの国では、多数派民族の言語が公用語となっていますが、フィリピンやシンガポールのように、英語を公用語に含む国もあります。大陸部の言語は、書き文字において主にインドの影響を受けていることが特徴です。ただしベトナム語は、中国の影響を受けた漢字起源の言語で、表記はローマ字を使用します。島嶼部の文字はローマ字で表記され、マレーシア、シンガポール、ブルネイと、インドネシアの一部はマレー語が共通言語になっています。

一方、少数民族は山奥や離島、国境周辺に多く、独特の言語や服装に加え、それぞれの伝統的な文化を残しています。

それぞれの国は**公用語で義務教育が行われているため、民族を越えたコミュニケーションは可能**です。ただし、日常会話では、各民族の言語が使用されることも多々あります。

東南アジアは総じて、民族や宗教の多様性に寛大です。しかし一部では、**特定の民族を優遇する制度**や、**民族間の争い**もあります。

政治、経済に影響を及ぼす外来の民族

東南アジアには各国の国籍を持った中国由来、インド由来の人々が数多くいます。特に、現地国籍を持つ中国系「華人」は、東南アジア社会の重要な構成員で、シンガポールでは人口の7割超を占めています。マレーシアには、華人よりもマレー人を優遇する政策も存在します（P150）。

多数民族と少数民族の対立は現在も一部で続いている

民族間の争いは、現在も一部で存在します。タイ南部では、タイからの分離独立を目指すマレー系住民がおり、ミャンマーでは多数派のビルマ族と少数民族の対立が今も続いています。少数民族が目指すのは、国家としての独立ではなく、自治権や自治領を求めるケースが多いようです。

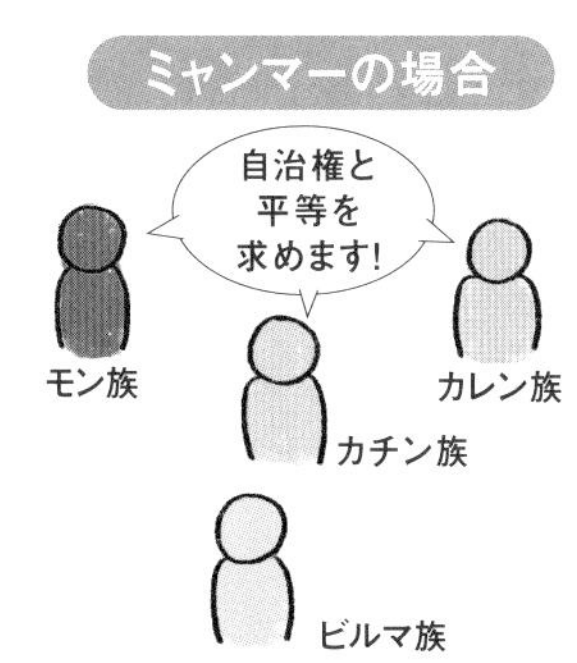

POINT 2

宗教

仏教、イスラム教、キリスト教……生活に深く根差すそれぞれの宗教

ヨーロッパにおけるキリスト教、中東におけるイスラム教のような、東南アジア地域全体で信仰される特定の宗教はありません。それぞれの国には多数派の宗教がありますが、信仰は自由です。

大陸部5ヵ国とシンガポールでは、仏教が多数派となっています。ベトナムは日本と同じく大乗仏教が主流ですが、

カンボジア、ラオス、タイ、ミャンマーの主流は上座部仏

日本の仏教と性質が異なる東南アジアの上座部仏教

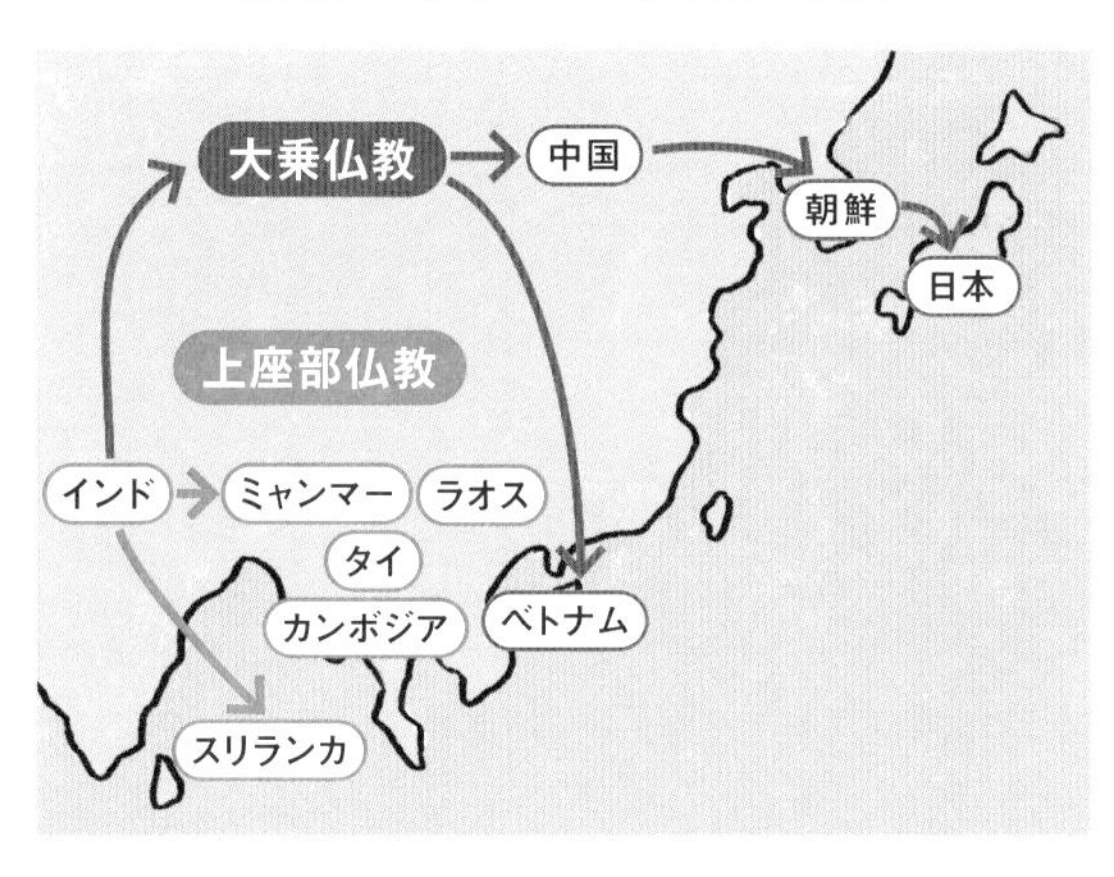

インドで生まれた仏教は、ブッダの没後、大乗仏教と上座部仏教に分離しました。多くの人が救われることを理想とする大乗仏教に対し、上座部仏教は個人が修行をして自力で救済されることを理想とします。大乗仏教は、中国に伝わり、朝鮮、日本、ベトナムに伝来。上座部仏教は、インドから南東方向に伝播しました。上座部仏教の国では、多くの人が「一度は出家・修行すべきだ」と考えており、黄衣をまとった修行僧が托鉢をする光景が、街中で見られます。

教です。

　植民地時代の文化が色濃く残るフィリピンや東ティモールは、キリスト教が主要宗教で、多くの人が日曜日に礼拝に行きます。

　イスラム教徒は、マレーシアとインドネシア、ブルネイで多数派ですが、禁酒などを他の宗教の信者に強制することはありません。

　それぞれの宗教はゆるやかに調和しており、他宗教の行事を楽しむ光景も多く見られます。しかし過去には、**特定宗教の過激派による悲惨な事件**も起こりました。

中東とは少し違うイスラム教

マレーシア、インドネシア両国は、他宗教の信仰を認めており、宗教間の対立が頻発することはありません。両国のイスラム教徒はラマダン中の断食や、禁酒、金曜礼拝などの生活様式を取り入れています。一方で、中東のように顔全体を覆い隠す女性はほぼ見られません。人口2.7億人のインドネシアは世界最多のイスラム教徒を持つ国で、その数は2億人といわれています。

バリ島で起きたイスラム過激派のテロ事件

2002年、インドネシアのバリ島で、イスラム過激派による爆弾テロ事件が発生。外国人観光客を含む202名が死亡しました。インドネシアでは、過去に外国人が集まる観光地や大使館でテロ事件が発生したこともあり、バリ島では2005年にもテロが起きています。

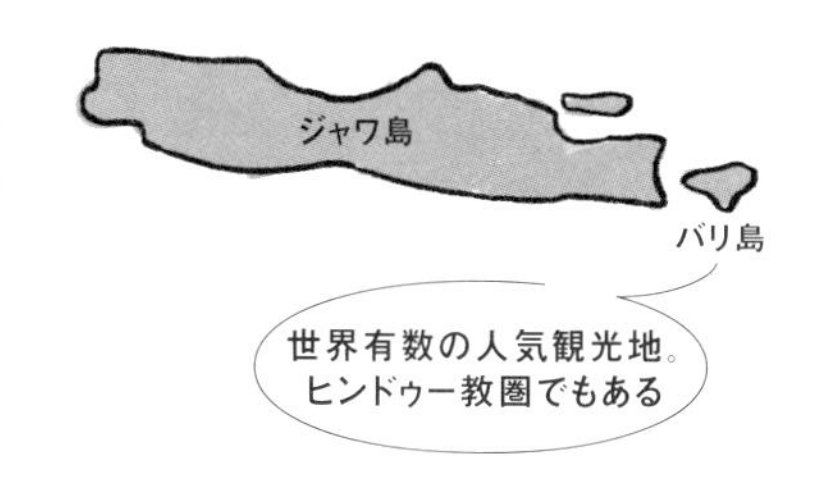

Society&Economy **03** Southeast Asia

世界中が注目する東南アジアの巨大市場

20世紀後半から成長をつづけ、膨大な人口を抱える東南アジア。
その市場に、世界中が期待を寄せています。

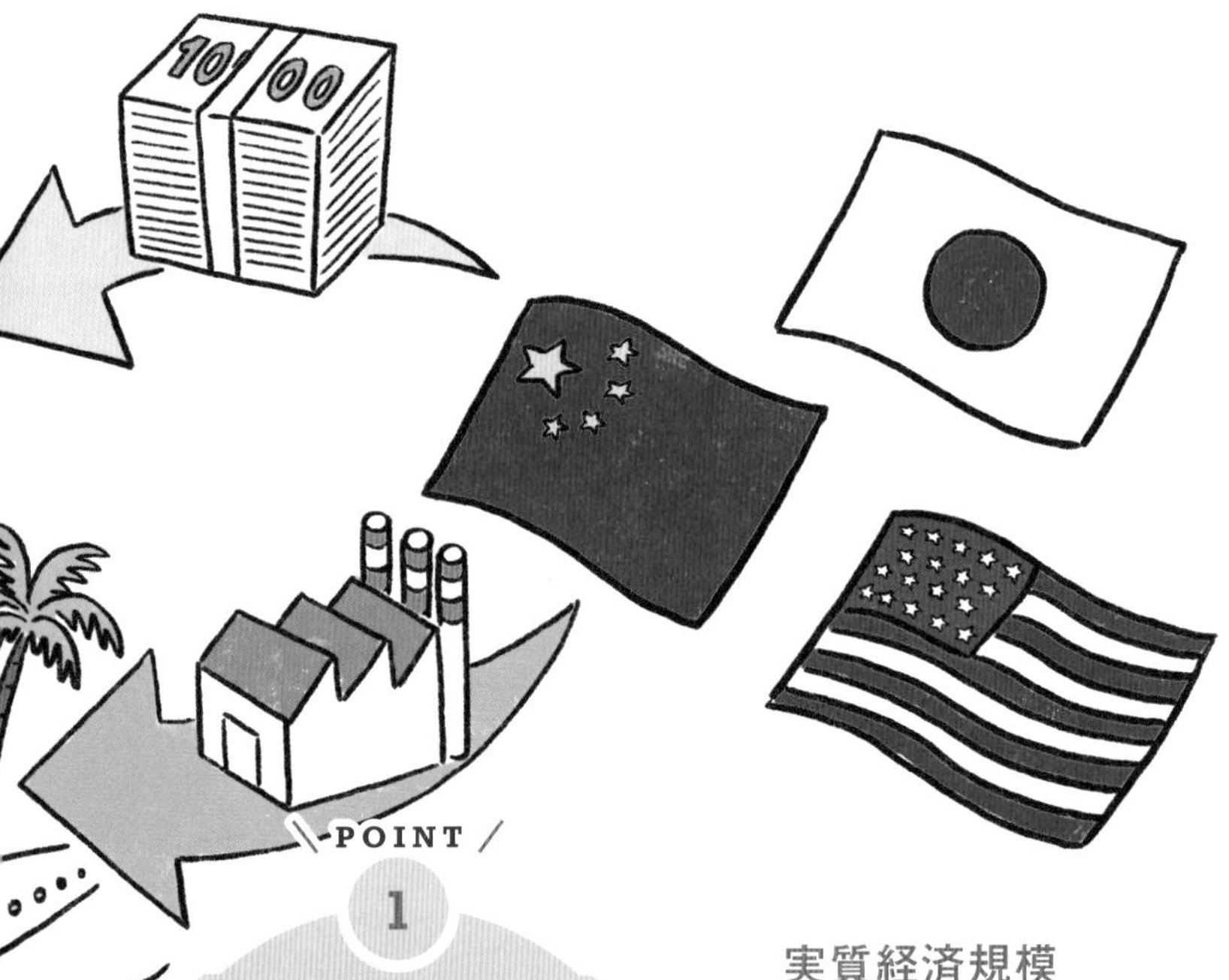

POINT 1

所得は6倍に増加!! 今や世界の"成長センター"

東南アジアの経済成長は著しく、実質経済規模は1970年から2019年にかけて14.2倍に拡大、実質所得は約6倍に増加しています。域内の人口も多く、今後の成長も期待されるため、全世界から投資が集まっています。

実質経済規模

1970年
約2,100億ドル

▼ 14.2倍

2019年
約2兆9,800億ドル

UNCTADデータより

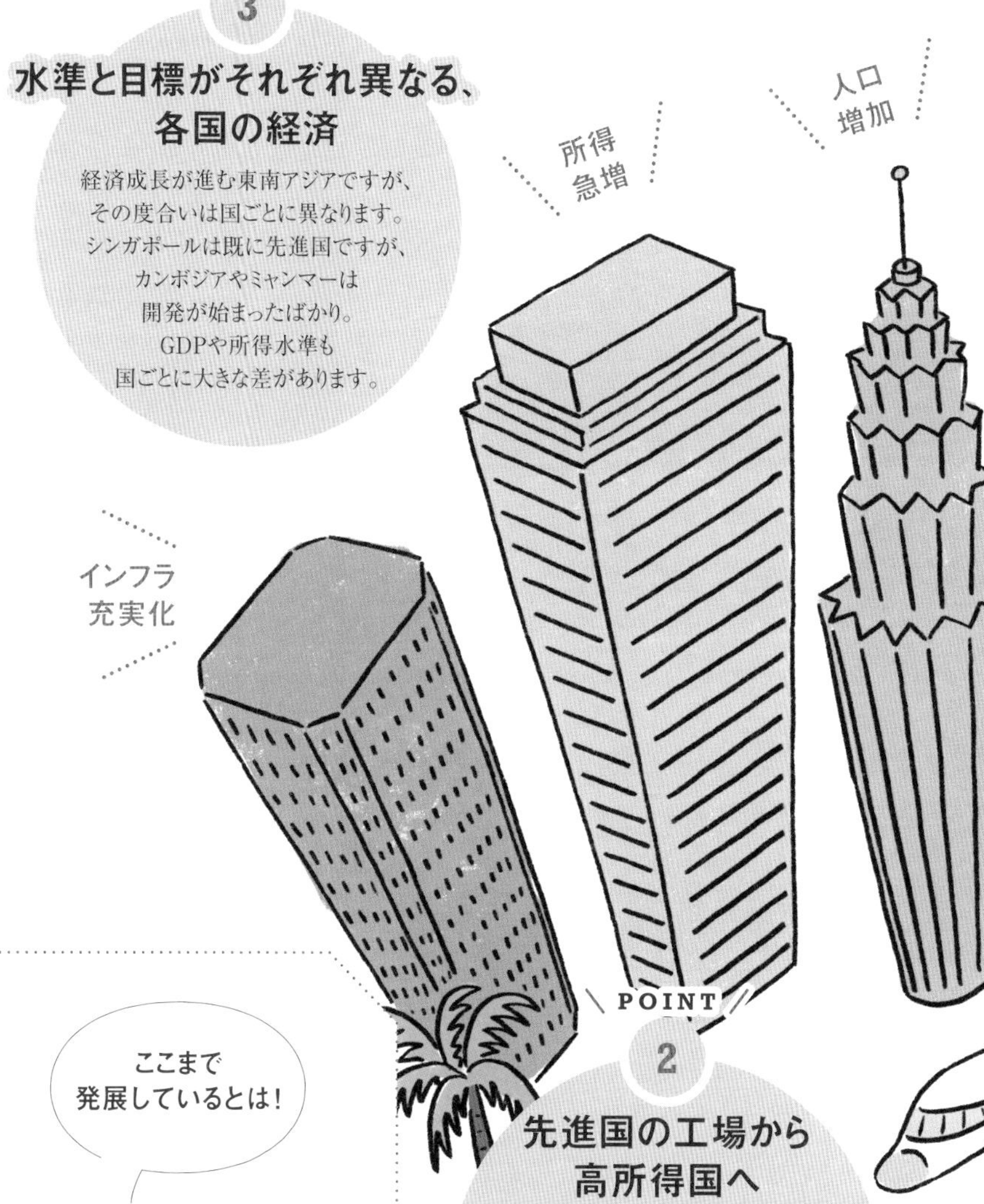

POINT 3

水準と目標がそれぞれ異なる、各国の経済

経済成長が進む東南アジアですが、
その度合いは国ごとに異なります。
シンガポールは既に先進国ですが、
カンボジアやミャンマーは
開発が始まったばかり。
GDPや所得水準も
国ごとに大きな差があります。

POINT 2

先進国の工場から高所得国へ

東南アジアの成長を支えているのは
工場進出に代表される直接投資です。
低賃金を背景に、先進国から
工場を次々と受け入れています。
一方で近年、所得向上や
東南アジア域内の連携によって、
新たな経済構造に
転換しつつあります。

POINT 1

市場

所得は6倍に増加!! 今や世界の〝成長センター〟

東南アジアの主要都市を歩くと、高層ビルや鉄道など建設中のインフラ施設をあちらこちらで目にします。世界中の企業が東南アジアを主要な投資先と見ており、まさに開発ラッシュの真っ只中といえます。

投資拡大の大きな要因は、その魅力的な人口規模。**ASEANの人口は約6.6億人、日本の5倍に匹敵します。**今後も人口は増加すると見られ

持続的な成長を可能にする人口というポテンシャル

20世紀を通じ、東南アジアの人口は爆発的に増加しました。2020年時点で、ASEANの人口は6億6,730万人に達しています。中国やインドには及ばないものの、日本の5倍以上であり、全世界の8.6%を占めています。

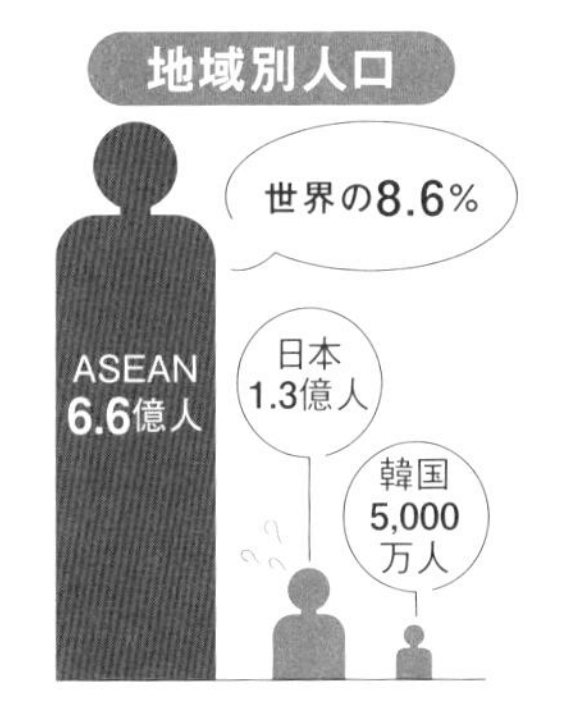

続く人口ボーナス期

生産年齢人口（15歳～ 64歳）が増加すると、労働力・消費力が向上して「人口ボーナス期」を迎えます。インドネシアやフィリピンは当面この時期が続き、カンボジア、ラオス、ミャンマーはボーナス期が始まったばかりと考えられています。

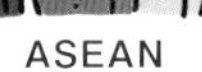

るため、巨大な内需を期待して外資系のメーカーや小売企業が続々と進出しています。**生産年齢人口も同時に増える**ため、日本のような労働力不足による社会停滞に陥る懸念もありません。

東南アジアの経済成長は、1970年頃から始まりました。インフラ整備と工業化を徐々に進めてきたことにより、**年平均の経済成長率は5.6%と、極めて高い成長を続けています。**また、域内外の自由貿易化も進んでいるので、さらなる市場拡大が期待されます。

高い成長率を保ちつづける ASEAN経済

世界とASEANの経済成長率

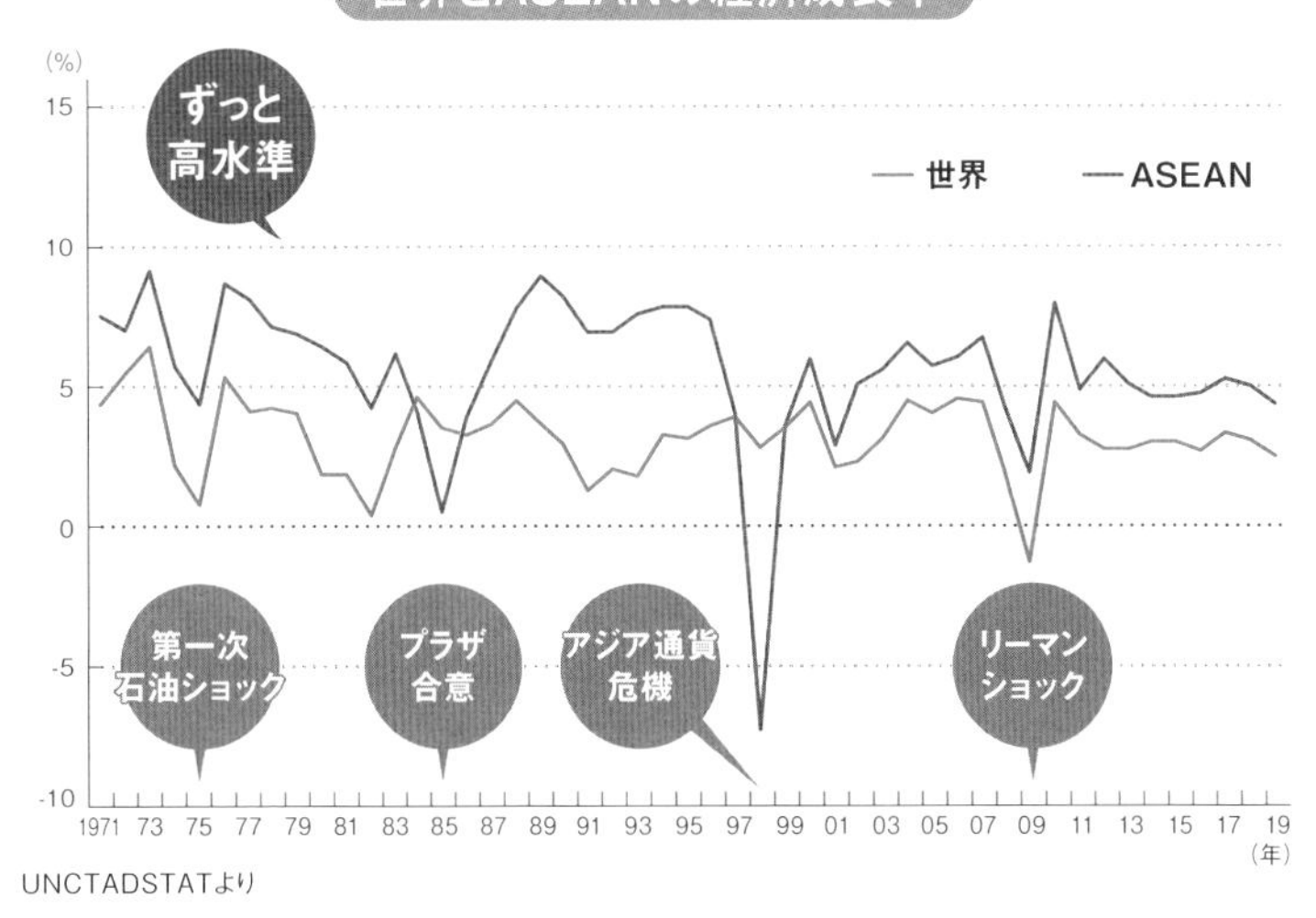

UNCTADSTATより

1970年に2,100億ドルであったASEANの実質経済規模は、2019年、14.2倍の2兆9,800億ドルに成長。この間、世界全体では4.6倍の拡大であることからも、実に急速な成長であることがわかります。一人当たり実質所得の増加も、世界平均が2.2倍である一方、ASEANは6.0倍になっています。

POINT 2

経済構造

先進国の工場から高所得国へ

途上国として出発した東南アジアの各国は、その安い賃金を背景に、先進国の工場進出を次々と受け入れてきました。進出企業の代表格が日本の自動車産業で、特に1980年代後半の急激な円高により、生産拠点を東南アジアに次々と設置しています。「先進国の工場」となった東南アジアは、所得向上により、内需も拡大しました。

近年、製造分野では中国企

米中貿易摩擦と工場の移転

中国は生産品をアメリカなど先進国に輸出し、外資を稼いできました。近年は米中貿易摩擦の影響を受け、自国から東南アジアへ拠点を移し、迂回的に輸出をする動きも出ています。

東南アジアのリスク"中進国の罠"

発展途上国は、積極的な投資誘致によって経済を成長させますが、賃金が上昇することは、外資企業にとっては重荷になります。このことから投資が減少し、結果として成長が停滞してしまうことを、「中進国の罠」と呼びます。

業の進出が顕著で、一方の日本は、巨大な消費市場を狙った、小売、金融など非製造業の進出が目立っています。

所得が高まり、賃金が上昇すると、外資企業の中には安い労働力を求めて、別の国・地域へ生産拠点を移転するところもあります。**東南アジア経済の過剰な外資依存はリスク**でもあるのです。そこで現在、東南アジア諸国は**域内で連携し、地域全体で経済の活性化を目指して**います。その代表例が、2015年に完成したインドシナ半島を貫く経済回廊です。

一致団結するASEANの経済圏

東南アジアは、地域内の経済連携を強化し、域内貿易の活性化と生産ネットワークの拡大を目指しています。大陸部諸国は、物流をよりスムーズにするため、交通網となる三つの主な経済回廊を整備。南北経済回廊は、中国とも連結しています。

POINT 3

所得

水準と目標がそれぞれ異なる、各国の経済

AＳＥＡＮ全体のＧＤＰは、３兆１７３５億ドル（２０１９年）。日本の６割を超える数字です。一方、**各国の所得水準は一様ではなく、発展の段階も大きく異なります。**

シンガポールは高所得国であり、一人当たりＧＤＰは、日本をはるかに上回ります。マレーシアとタイ、インドネシアは上位中所得国に位置し、自動車やエレクトロニクスな

レベルが異なる各国の経済水準

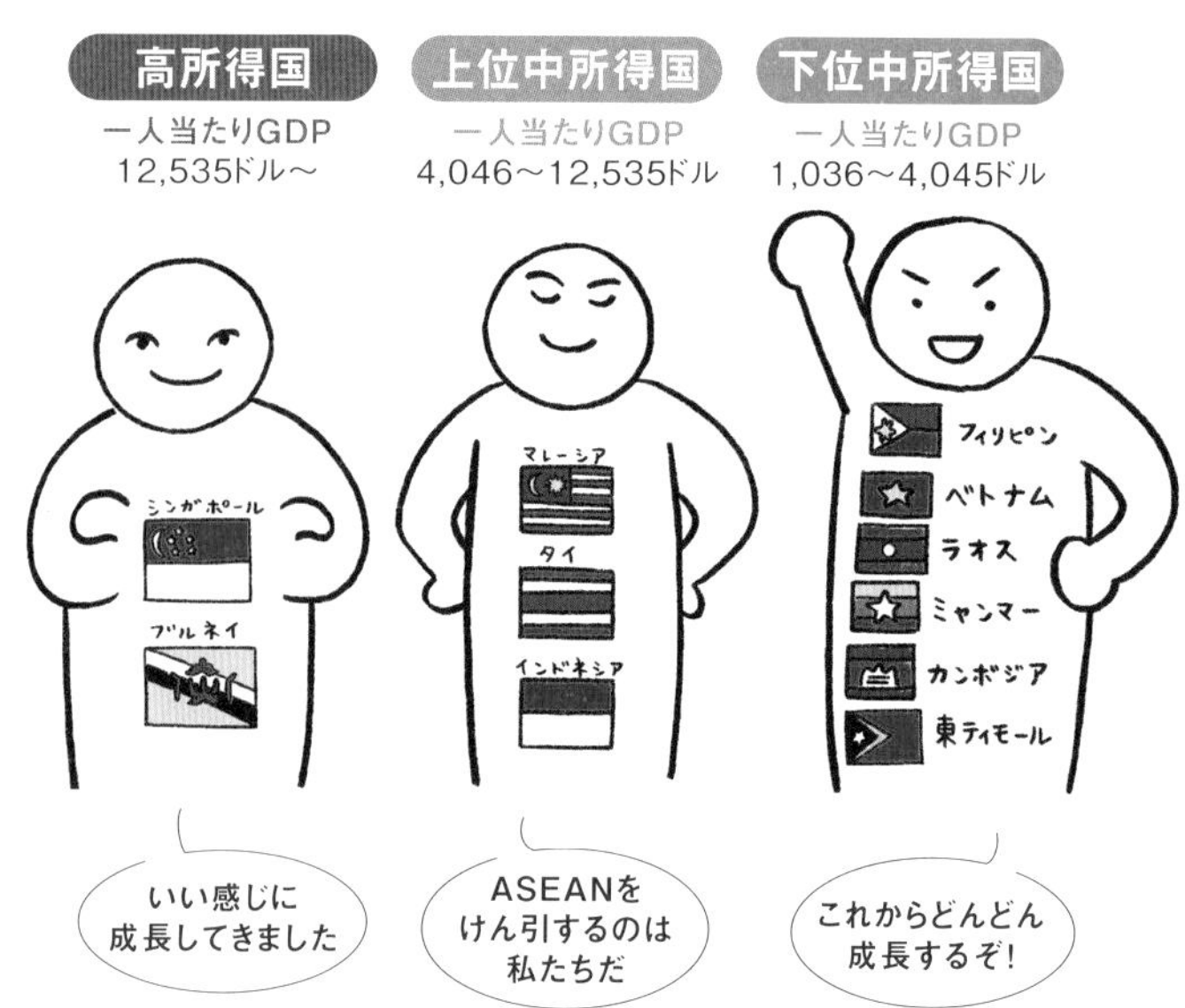

世界銀行の分類によると、東南アジア諸国は全てが一人あたりGDPが1,036ドル超の中所得国以上であり、低所得国は存在しません。国家間の格差はあるものの、それぞれの段階に応じた発展が進んでいるため、投資先としてバリエーションに富んでいることも魅力になっています。

どの産業が発展中。フィリピン、ベトナム、カンボジア、ミャンマー、ラオスは下位中所得国であり、縫製や加工組み立てなど、労働集約型の産業が中心です。

高所得で人口が多ければ市場が大きくなるので、投資先としては魅力的ですが、シンガポールやタイは既に高齢化が始まっているなど、成長を停滞させるリスクも潜んでいます。一方、**下位中所得国は労働賃金も安く、若年層が多いのが特徴**です。インフラも整備途上で、今後も発展する余地が残されています。

比較でわかるGDPと労働賃金

国	GDP（10億ドル）（2019年）	一人当たりGDP（ドル）（2019年）	製造業の一般工職の月額賃金（ドル）（2020年）	非製造業の一般職の月額賃金（ドル）（2020年）
中国	14,400	10,300	530	1,080
シンガポール	360	64,000	1,910	2,590
マレーシア	370	11,200	430	920
タイ	540	7,800	450	880
インドネシア	1,110	4,200	360	490
フィリピン	360	3,300	270	590
ベトナム	260	2,700	250	610
ラオス	20	2,700	210	530
ミャンマー	70	1,200	180	480
カンボジア	30	1,600	220	530

ジェトロ「2020年度海外進出日系企業実態調査」より作成

労働賃金を比較すると、概ね所得と比例していることがわかります。ラオス、ミャンマー、カンボジアは「後発国」と呼ばれますが、製造業における賃金は特に低くなっています。

Society&Economy 04 Southeast Asia

一部の都市は東京レベル！向上する人々の生活水準

経済成長の波の中で、人々はどのように暮らしているのでしょう。
あらゆる側面から見ていきます。

＼POINT／
1

出張に行っても困らない なんでもそろう都市の生活

ほとんどの主要都市では
インフラが整備されており、
基本的な生活水準は
日本と遜色ありません。
ATMの導入台数が多いなど、
東京より便利なこともあります。

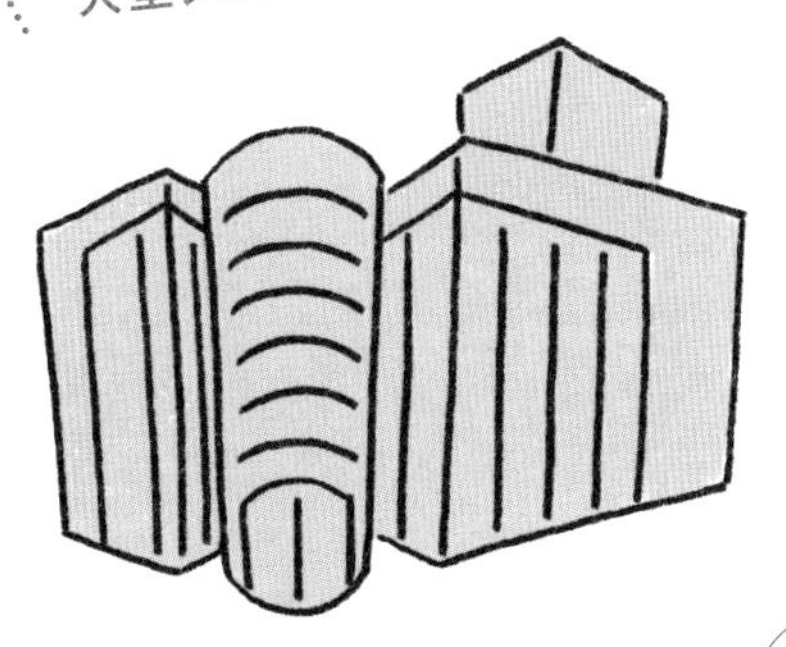

\ POINT /

2

医療や教育、ライフラインは、都市と地方で格差大

地方に目を向けると、都市部とは異なる光景が広がっています。医療や教育が貧弱な地域も多く、都市と地方の格差は日本よりも大きいといえます。

POINT 1

生活水準（都市部）

出張に行っても困らないなんでもそろう都市の生活

シンガポールやクアラルンプール、ジャカルタ、バンコク、ホーチミンなどの巨大都市は、ひと昔前の未発達なイメージとは大きく異なり、東京とほぼ遜色ない生活を送ることができます。水不足や、電気の不通はなく、コンビニや外食レストランが立ち並び、Wi-Fiが使用できる場所も多々あります。ただし、**生活文化そのものが日本と異なる点もある**ので、

都市部への旅行・出張で注意したいこと

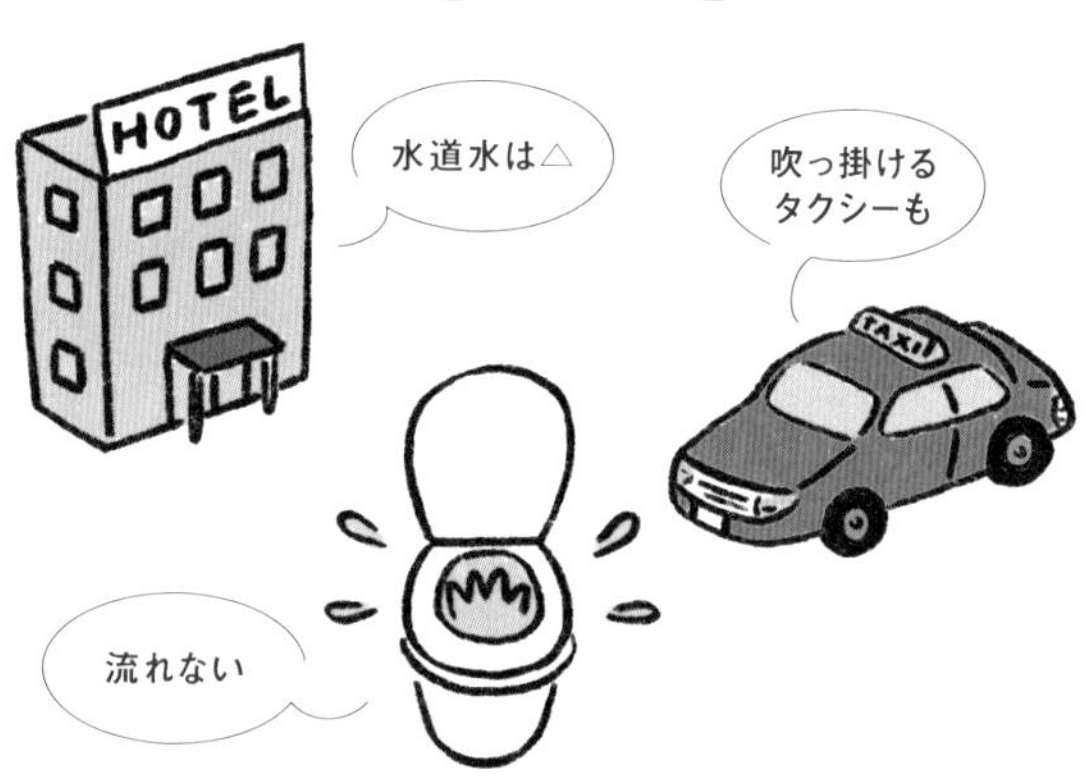

上下水道は整備されていますが、ホテルなどの水道水は飲まず、ペットボトルのミネラルウォーターを購入することが無難です。屋台の料理や安価な飲料も、下痢などの原因になる恐れがあります。公衆便所はトイレットペーパーが設置されているところが少なく、自動洗浄でないケースがあり、使用後の紙は流さずにカゴに捨てなければなりません。タクシーは運転手に高額な請求をされることもあるので、メーター付きのタクシーを利用し、メーターを使うよう運転手に求めることが肝要です。

出張や旅行の際は注意が必要です。

街の中心部には大型のショッピングモールがあり、生活用品や衣服、家電などがそろいます。物価や地価も徐々に上昇し、日本で買った方が安い物も少なからずあります。

一方、ヤンゴンやプノンペンなどの中小都市においては、**インフラの整備が進行中**。こうした開発には、日本企業も積極的に乗り出しています。また、**都市間を結ぶ、道路・鉄道・空路の整備**も進んでおり、移動の利便性はますます高まることが期待されます。

インフラ強化に乗り出す諸外国

高まる東南アジアのインフラ需要獲得に向け、各国の政府や国際機関は投資を進めており、一部では受注競争が起こっています。特にエネルギー、運輸の分野は注目されており、日本企業も積極的な活動を行っています。

日本が受注したインフラ整備事業

- タイ：バンコク地下鉄建設
- ミャンマー：ティラワ経済特区・港湾整備
- カンボジア：救命救急センター事業

都市を結ぶ交通網が発達中

東南アジアには、域内全体を道路網でつなぐ「ASEANハイウェイ・ネットワーク」という計画があり、アジア全体の国際道路網「アジア・ハイウェイ」との接続に向けて整備が進んでいます。空路では、ASEANとしてオープンスカイ政策を進めており、路線の増設や相互乗り入れ、空港の近代化が進行中です。

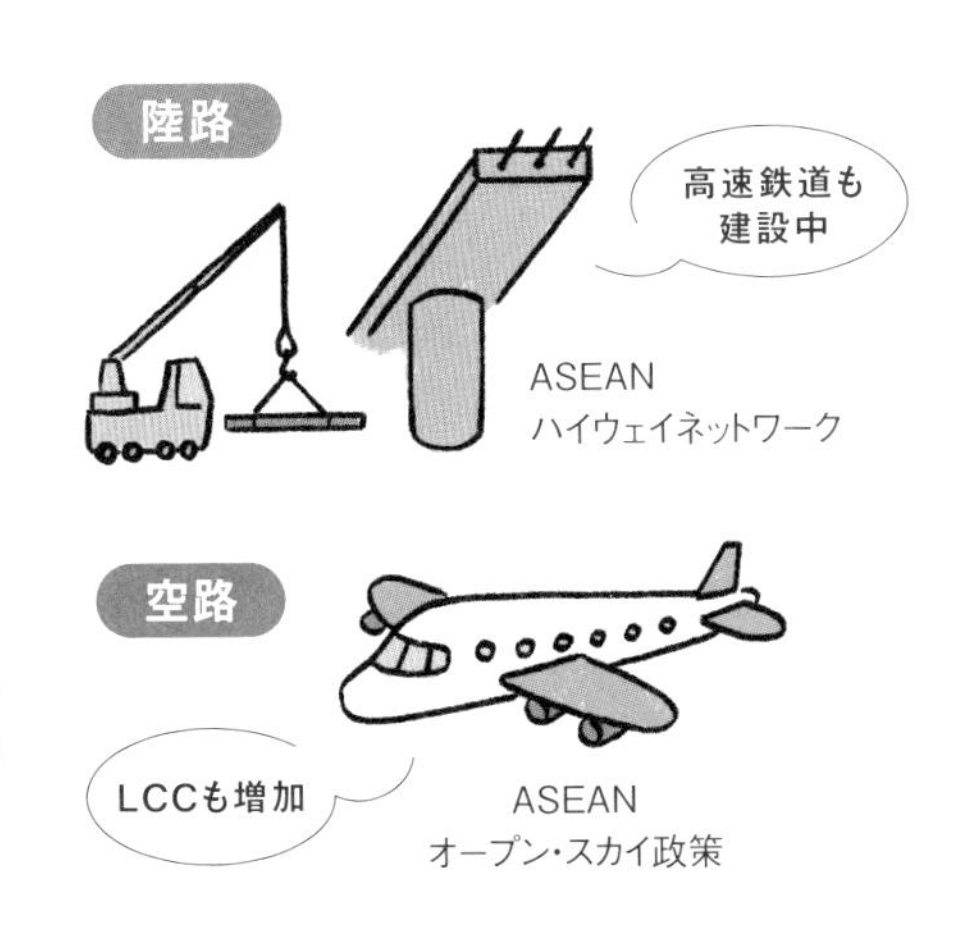

POINT 2

生活水準（地方）

医療や教育、ライフラインは、都市と地方で格差大

都市部の急速な発展が進む一方で、地方との生活水準における格差は広がっており、その差は低所得国になるほど大きくなります。

顕著なのは医療水準で、マラリアやデング熱、狂犬病など熱帯気候特有の病気もあります。道路も幹線道路から一歩裏に入ると舗装されていない道も少なくなく、全国の隅から隅までアスファルトがつながる日本とは状況が異な

タイやシンガポールに搬送される後発国の患者

東南アジアには、医療水準の低い国の患者が、高水準の国の病院に搬送されて治療を受けるサービスを提供する会社もあります。外国企業から現地に行くビジネスマンも、医療保険に入ることによってこうしたサービスを受けることができます。

義務教育は行われているが、識字率には格差

東南アジアの識字率は多くの国で90%を超えています。一方、教員や学校が不足する途上国ではその水準に届かず、経済成長の足枷になることが懸念されます。

成人識字率（2018年）	
ベトナム	95.0%
タイ	93.8%
ラオス	84.7%
カンボジア	80.5%
ミャンマー	75.6%
東ティモール	68.1%

※ミャンマーは2016年、カンボジア・ラオスは2015年
UNESCOより

ります。

教育は、中学までは義務教育ですが、国によって学校数の不足や困窮家庭での若年労働の問題もあり、**成人識字率における国家間の格差**が存在します。教育水準が低い若者は、就労のため都市に出ても低賃金での労働を強いられることもあります。

水道や電力は、行き届いていない地域も依然として多く、ミャンマーなどでは電力不足が社会問題となっています。**エネルギーや資源は、地理的条件にも左右されるため、国ごとに課題も異なります。**

エネルギーをめぐる各国の課題

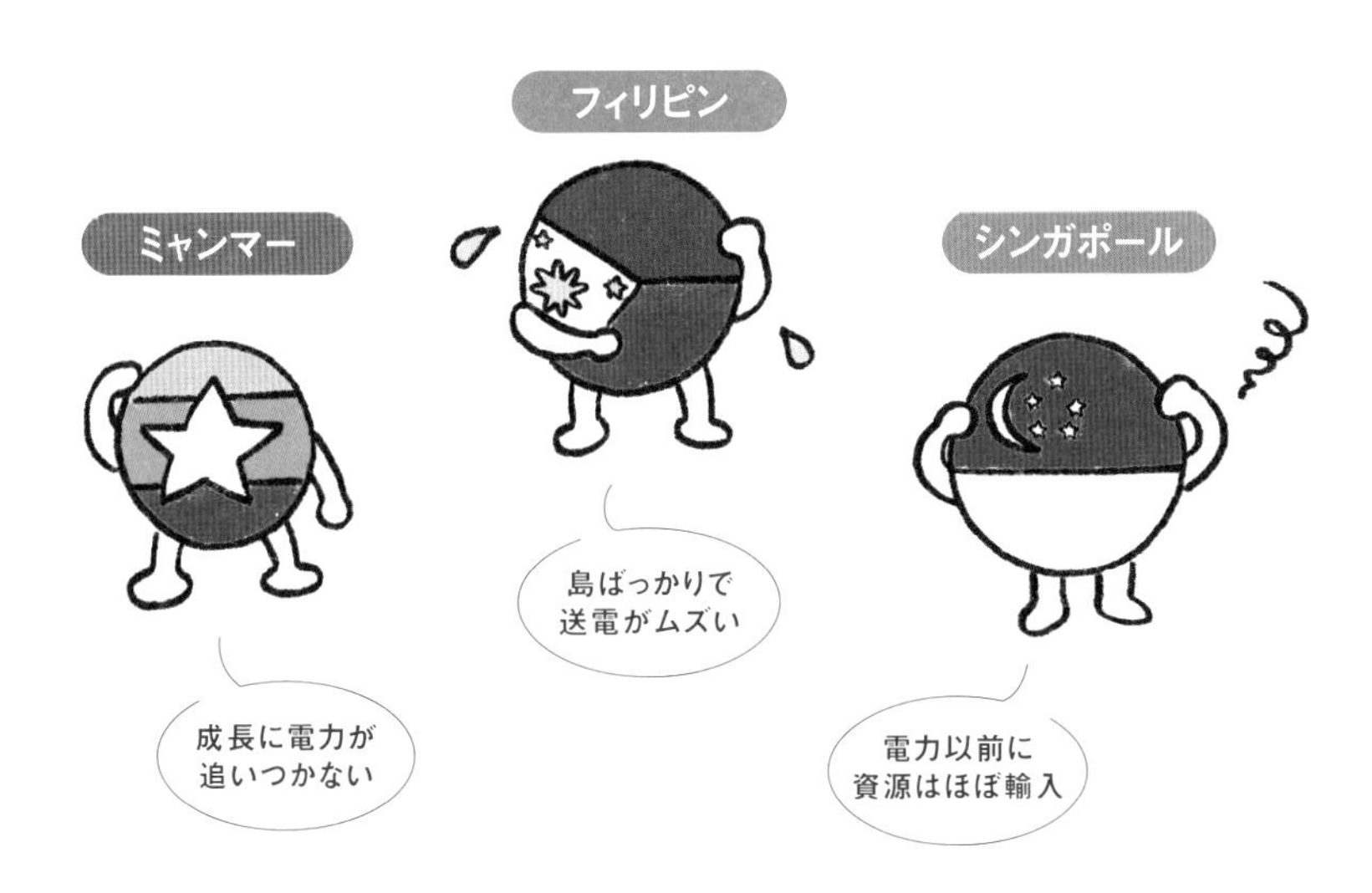

東南アジアでは、諸地域で電力不足が問題になっています。インフラが未整備のまま急成長が始まったミャンマーでは、電力供給が追いつかず、電化率はASEAN最低の66.3％（2018年）。フィリピンやインドネシアは離島への送電自体が困難であるため、火山島の特性を生かした地熱発電の導入が進んでいます。タイやマレーシアではクリーンエネルギーを推進中であり、シンガポールは小さな島国であるため、エネルギー源である天然ガスをほぼ輸入に頼っています。

東南アジア人はスマホが大好き 加速するデジタル化

東南アジアではデジタル化が急速に進んでいます。
人々はどのようなITライフを送っているのでしょうか。

＼POINT／
1

キャッシュレス決済も浸透 スマートフォンが普及する社会

東南アジアの携帯電話利用者は9.2億人。スマートフォンの2台持ちも少なくありません。日本と同様、電車やバスではほとんどの乗客がスマートフォンを眺めている光景が見られます。

携帯電話利用者(2019年)

9.2億人

IT普及率
(2021年)

インターネット利用者

4.6億人

ソーシャルメディア利用者

4.6億人

POINT 2

SNSにEコマース……生活に浸透するIT文化

インターネットの普及に伴い、
SNSやEコマースなどの
利用者も急増しています。
市場の拡大を受け、諸外国の
IT企業も次々と進出。
人々の生活スタイルは
変容しつつあります。

POINT 1

スマートフォン

キャッシュレス決済も浸透 スマートフォンが普及する社会

東南アジアでは急速にデジタル化が進んでいます。インターネット利用者数は増加しているほか、携帯電話の利用者が特に多く、人口比の139％になっています。

多くの人がパソコンを使用せず、スマートフォンだけでネットにアクセスしている点が特徴です。こうした現象は離島や山岳地帯でも見られ、重要な情報収集ツールになっています。

ネット利用と比べてもスマホ利用率は高い

“モバイル・オンリー”のネット利用者の割合

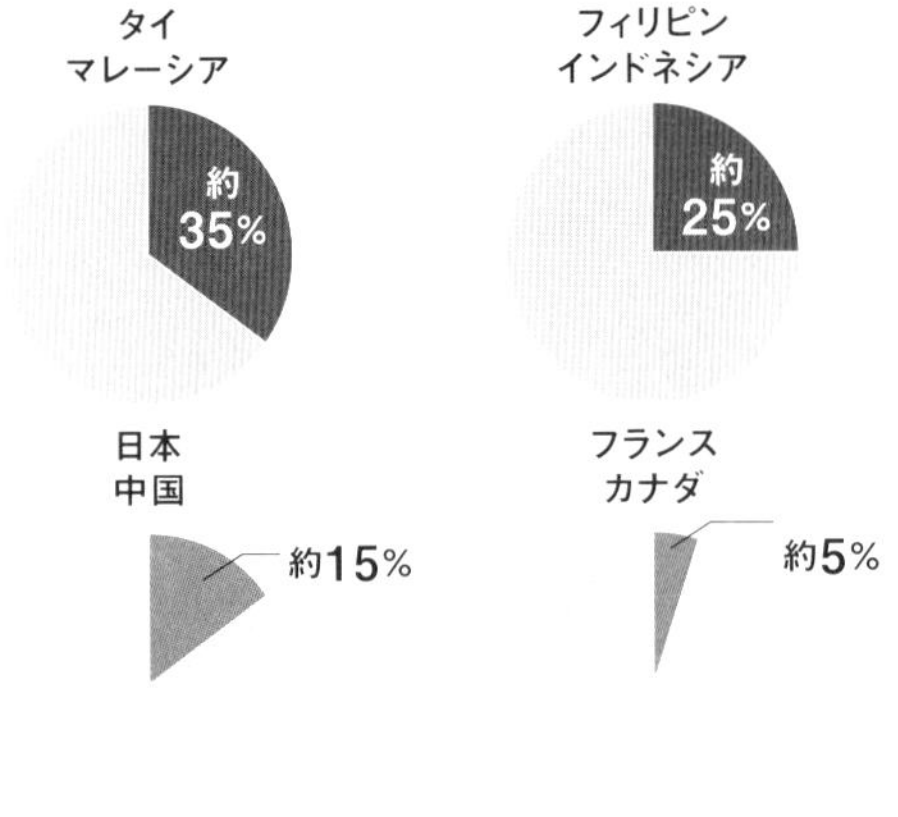

国	割合
タイ マレーシア	約35%
フィリピン インドネシア	約25%
日本 中国	約15%
フランス カナダ	約5%

※2016年の数値。「GlobalWebIndex」より

東南アジアのインターネット普及率は、日本と比べると高くはありませんが、スマートフォンの普及率は圧倒的です。ネット利用者のうち、スマートフォンのみを使用する「モバイル・オンリー」の割合を見ると、タイとマレーシアは約35%で、日本や中国をはるかに上回っています。現地のミレニアル世代からすると、パソコンにはそこまでなじみがなく、「ネット=スマホ」という感覚が強いのかもしれません。

スマートフォンの端末はファーウェイやオッポなど、比較的安価な中国製が人気。アップルは高価なため富裕層を中心に普及しています。**国別の普及率では、タイやシンガポール、フィリピンが高く、**日本を上回っています。

都市部では公共の無料Wi-Fiも増えており、街中にある店舗では電子決済も次々と導入されています。政府がキャッシュレス決済の導入を後押ししている国もあり、今後もますます浸透していくと考えられます。

各国で異なるモバイル普及率

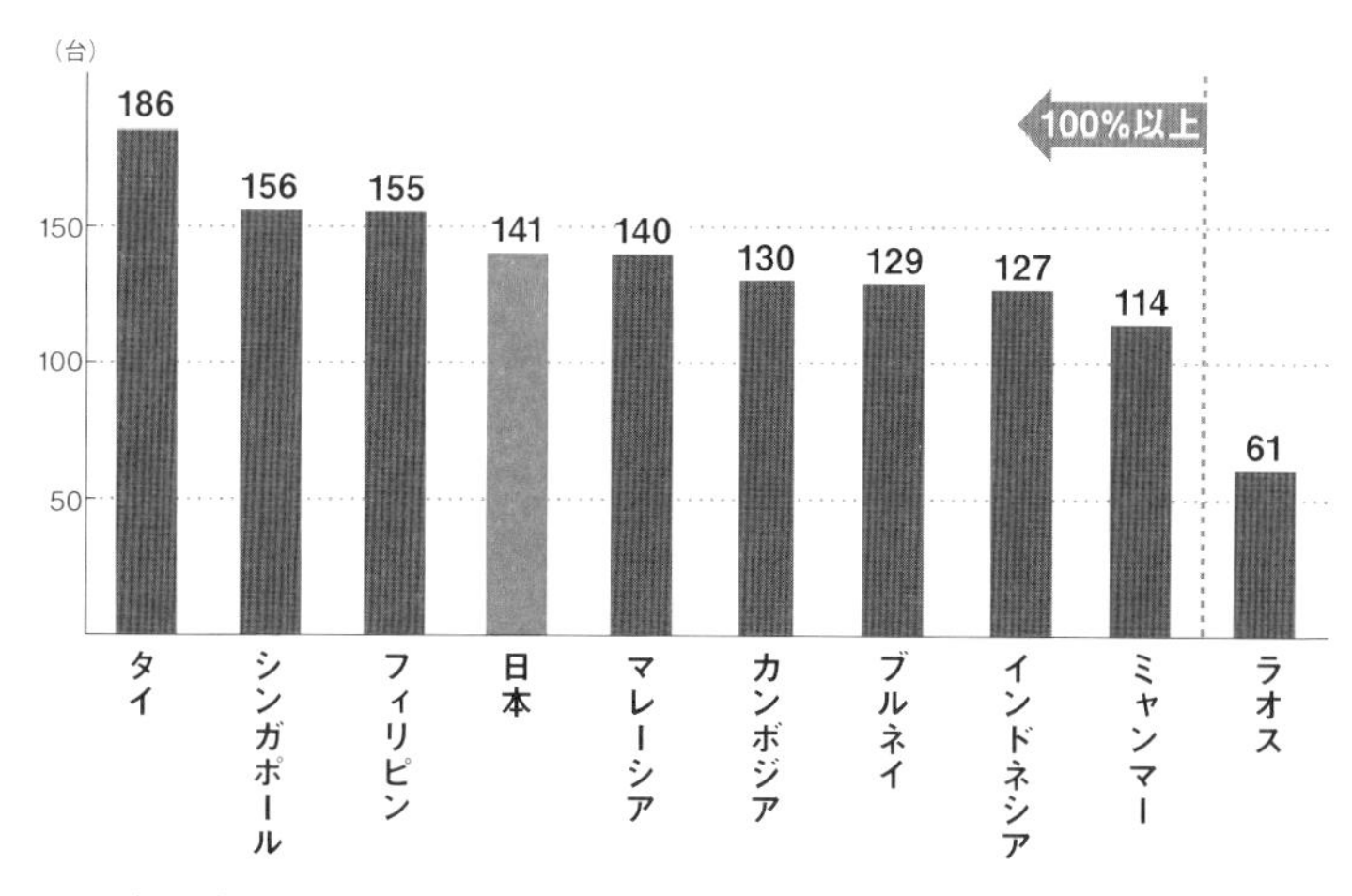

※2019年の数値。ただし日本とミャンマーのみ2018年
世界銀行「World Development Indicators」データベースより

人口100人あたりの携帯電話登録者数を見ると、タイとシンガポール、フィリピンは特に高く、マレーシアやカンボジア、ブルネイ、インドネシアも日本とほぼ変わらない水準であることがわかります。2010年代に急速に普及したのがミャンマーで、2011年の民政移管後、規制緩和と外資系通信会社の参入で大幅に価格が低下し、爆発的に普及しました。

＼POINT／
2
デジタル化

SNSにEコマース……生活に浸透するIT文化

インターネットの普及により、人々のライフスタイルは大きく変化しています。東南アジアの人々は**インターネットに相当な時間を費やしています。**SNSの利用者も多く、タイやマレーシアなど、日本より利用率が高い国もあります。**中でも登録者数が多いのはフェイスブック**で、タイではLINEも普及しています。

Eコマース（電子商取引）

ネットとSNSに費やす時間は世界一

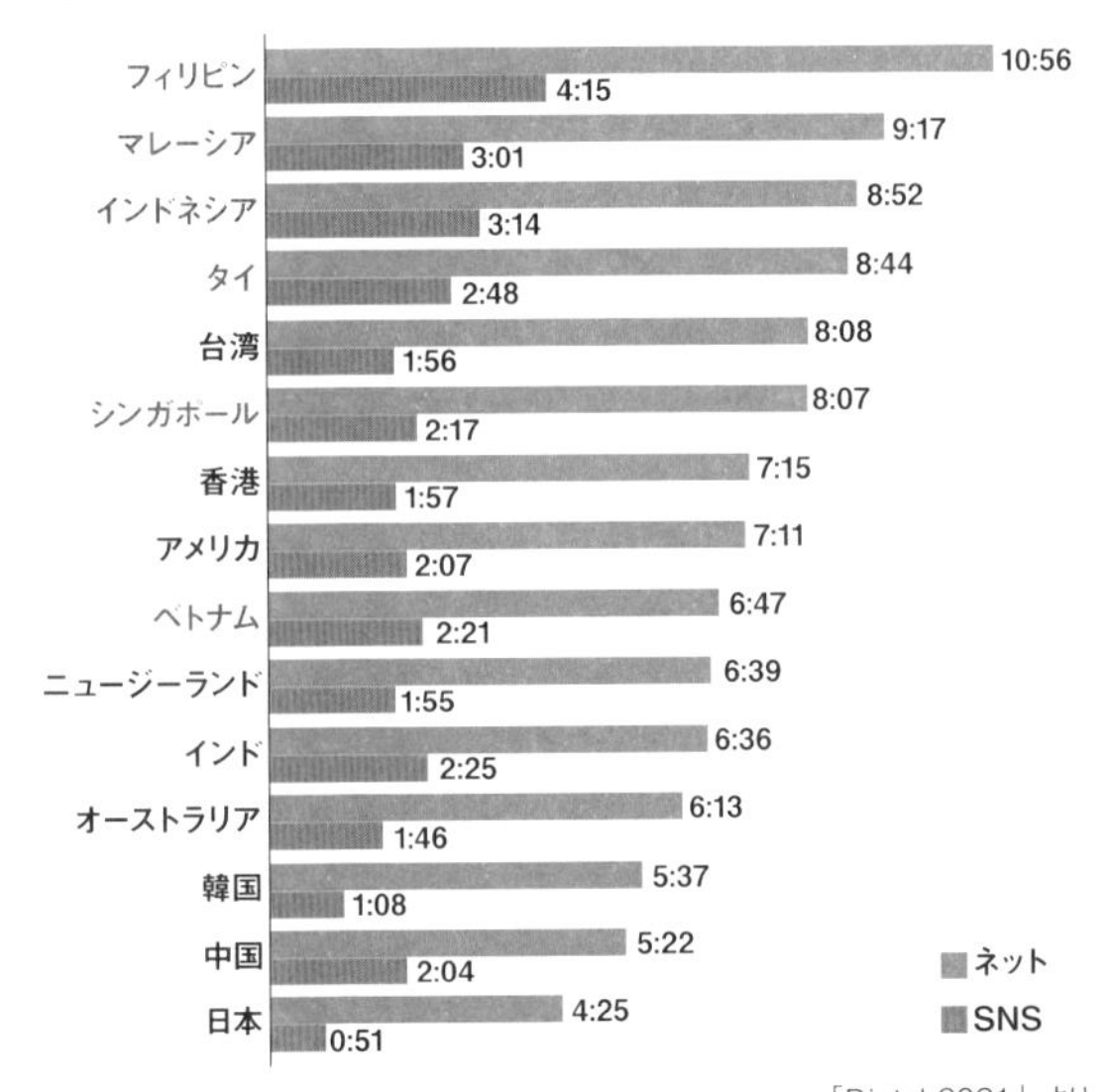

「Digtal 2021」より

インターネットとSNSにおける1日あたりの利用時間を見ると、東南アジアの国々が上位を占めていることがわかります。フィリピンやタイは、日本の2倍以上の時間を費やすSNS大国。動画視聴サービスやゲームアプリも普及しており、アニメでは『ちびまる子ちゃん』『NARUTO-ナルト-』『進撃の巨人』など、日本のコンテンツも人気です。

も主要な購入手段になりつつあり、東南アジア各国はインターネット利用者のうち、Eコマース利用割合が世界でも最も高いことで知られています。プラットフォームはアリババ系Lazadaやモバイルで強みを発揮するシンガポール系Shopeeなどが有力。日本のブランドも人気で、プラットフォームを通じて販路を広げる「越境EC」に挑む**日本の企業も急増中**です。さらに、東南アジアから中国など気候の異なる外国へ熱帯フルーツなどを売る越境ECも増えています。

フェイスブックが根強い人気

SNSではフェイスブックが主流で、インドネシアは世界で3番目にユーザー数が多い国になっています。都市別に見ると、バンコクは世界1位です。

Facebookユーザー数

国	ユーザー数	総人口
インドネシア	1億4,000万人	（総人口2億6,700万人）
フィリピン	8,300万人	（総人口1億700万人）
ベトナム	6,800万人	（総人口9,700万人）
タイ	5,100万人	（総人口7,000万人）

「Digtal 2021」より

巨大なEC市場で注目されるデジタルマーケティング

膨大な人口を抱える東南アジアに販路を広げようと、各国のメーカー、小売業者が越境ECに挑んでいます。おむつや化粧品など、品質の高い日本製品は信頼されており、現地に製造拠点を置くメーカーもあります。越境ECは誰でも参入できるため、SNSの口コミを活用して大成功を収める中小企業も増えています。

Society&Economy 06 Southeast Asia

豊富な資源&労働力で影響力を高める諸産業

製造業を発達させた東南アジアは、資源にも恵まれた地域です。

現地の強い産業を見ていきましょう。

＼POINT／
1

スマホ、自動車、アパレル……多くのものが東南アジア製

東南アジアの高い製造力は、
世界中のブランドを陰で支えています。

近年は、中間層が拡大したことから、

「現地でつくり、現地で売る」

仕組みも定着しつつあります。

＼ POINT ／

2

世界中の市場に並ぶ東南アジアの一次産品

自然に恵まれた東南アジアは、
熱帯の特性を生かした農業や漁業で
世界中に食材を供給しています。
エビやコーヒー豆、パーム油、
フルーツなどは、日本の台所を
支えています。

POINT 1

製造業

スマホ、自動車、アパレル……多くのものが東南アジア製

製造業で経済を成長させてきた東南アジア（P38）は、グローバルサプライチェーン（※）に欠かせない重要な地域になっています。同時に、内需が拡大していることから、現地生産したものを現地および東南アジア全域に販売する外資企業も増えてきています。

モータリゼーションの進む東南アジア諸国では、人気の高い日本車を現地で生産。

日本車が圧倒的人気。モータリゼーションの進む東南アジア

日本車のシェア

東南アジアでは、自動車を持つことは家を持つこと以上のステータスです。特に、日本車は品質が高いと認識されており、インドネシア市場では95%以上、タイでは90%以上と圧倒的人気。トヨタや三菱、ダイハツなどの乗用車に加え、いすゞや日野のトラックも現地で生産・流通しています。輸入車には高い関税がかかるため、購入する人は少数派で、現地生産車が主流なことに加え、多くの国で中古車輸入を禁止・制限しています。

※サプライチェーン：供給連鎖のこと。製品の原材料や部品の調達→製造→在庫管理→物流→販売→消費までの流れ

輸送費・人件費を抑えつつ大量生産することで、中間層にも手が届く価格を実現し、圧倒的なシェアを誇っています。

スマートフォンの製造も増えており、**IT機器や家電の分野は韓国メーカーが現地生産**に取り組んでいます。

ベトナムやカンボジアは縫製品が強く、ユニクロなどの国際的アパレルメーカーの工場が数多くあります。

その他の製造業においても**日本にとって東南アジアは重要なパートナー**であり、現地の技術力向上は、日本経済に欠かせないのです。

IT、家電は韓国企業が優勢

サムスンやLGなど、韓国の巨大エレクトロニクス企業は生産・輸出拠点を中国から東南アジアに移しています。中でもベトナムはサムスンの重要拠点になっており、サムスン製スマートフォンの一大製造・輸出拠点になっています。

工場経営における日本と中国の違い

海外進出をする際、現地の労働者との関係、法令遵守は非常に重要です。「途上国だから」という態度でビジネスをすると、トラブルが生じる場合も。日本の企業は、技術移転や幹部登用など、中長期的な現地のメリットを考える企業が多い一方、中国企業は海外事業経験が少ないこともあり、利益最優先で環境汚染や労働問題を引き起こす事例も散見されます。

POINT 2

一次産業

世界中の市場に並ぶ東南アジアの一次産品

東南アジアの農水産業は世界の食を支えています。東南アジアのモンスーン気候とデルタは稲作に適しており、世界のコメ輸出上位国は、インドに次いでベトナム、タイの順で、主に**大陸部ではインディカ米を、島嶼部ではジャバニカ米を多く生産。**アブラヤシの果実から採取するパーム油は、インドネシアとマレーシアが世界の生産量の8割以上を担っていま

世界中の料理に欠かせない東南アジアのコメ

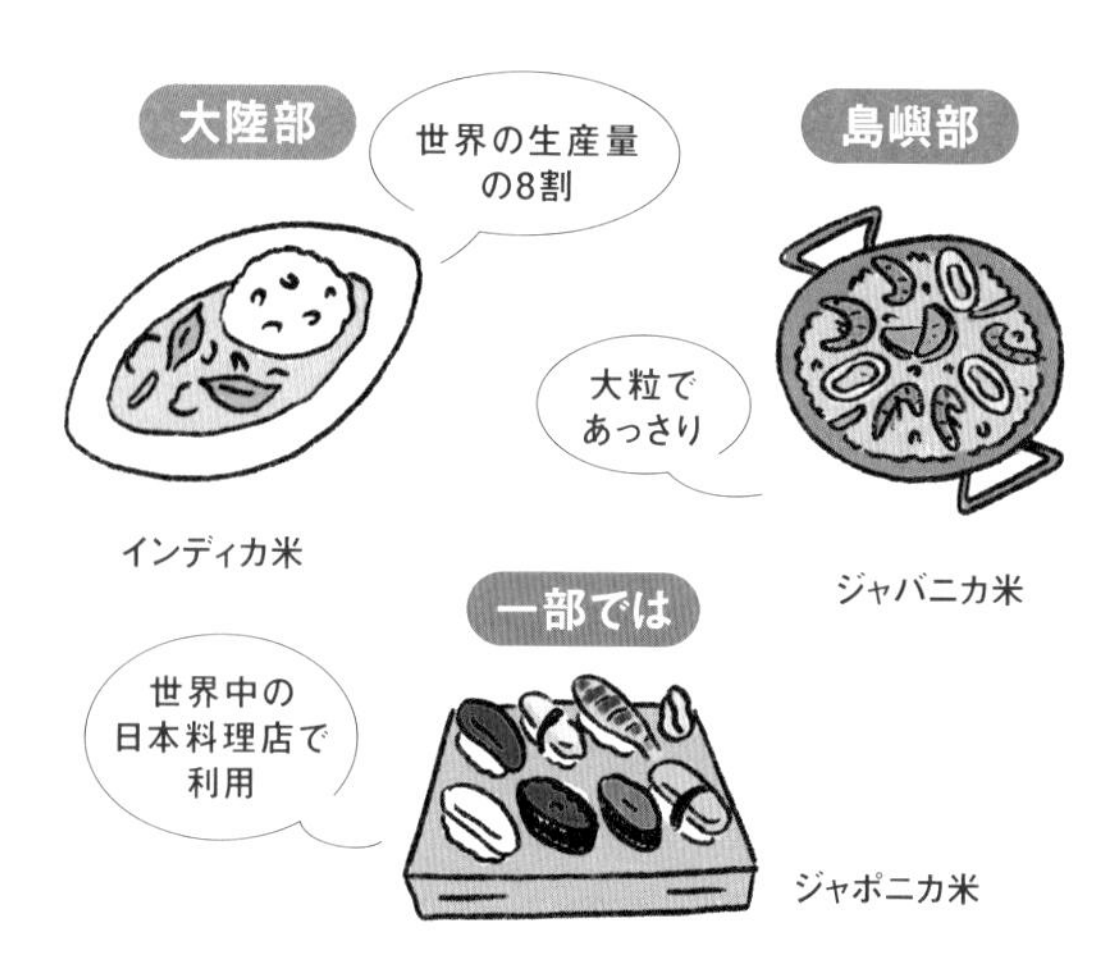

東南アジアではコメが主食であり、稲作は各地で行われています。タイ米の呼称でも知られる長粒のインディカ米は、世界の生産量の実に8割を占めています。粘り気がなくパサパサしており、カレーやピラフに用いられます。大粒のジャバニカ米はジャワ島が主要産地であり、パエリアやリゾットに最適。タイやベトナムの一部では、私たちになじみ深いジャポニカ米も栽培されており、世界各地の日本料理店で使用されています。

す。その他、生産量が多いのは、コーヒー豆やバナナ、マンゴー、ドリアンなど。食料以外では天然ゴムが、タイ、インドネシア、ベトナムなどの重要な輸出品となっています。

水産業では、養殖エビや缶詰めのシェアが高く、インドネシア産のマグロは日本食に不可欠な存在です。タチウオ、サバ、カニなどがとれる**南シナ海は世界有数の漁場**であるとともに、原油、天然ガスが大量に眠っていると考えられており、**沿岸諸国が領有権を争う事態**になっています。

漁場確保のための争いが絶えない南シナ海

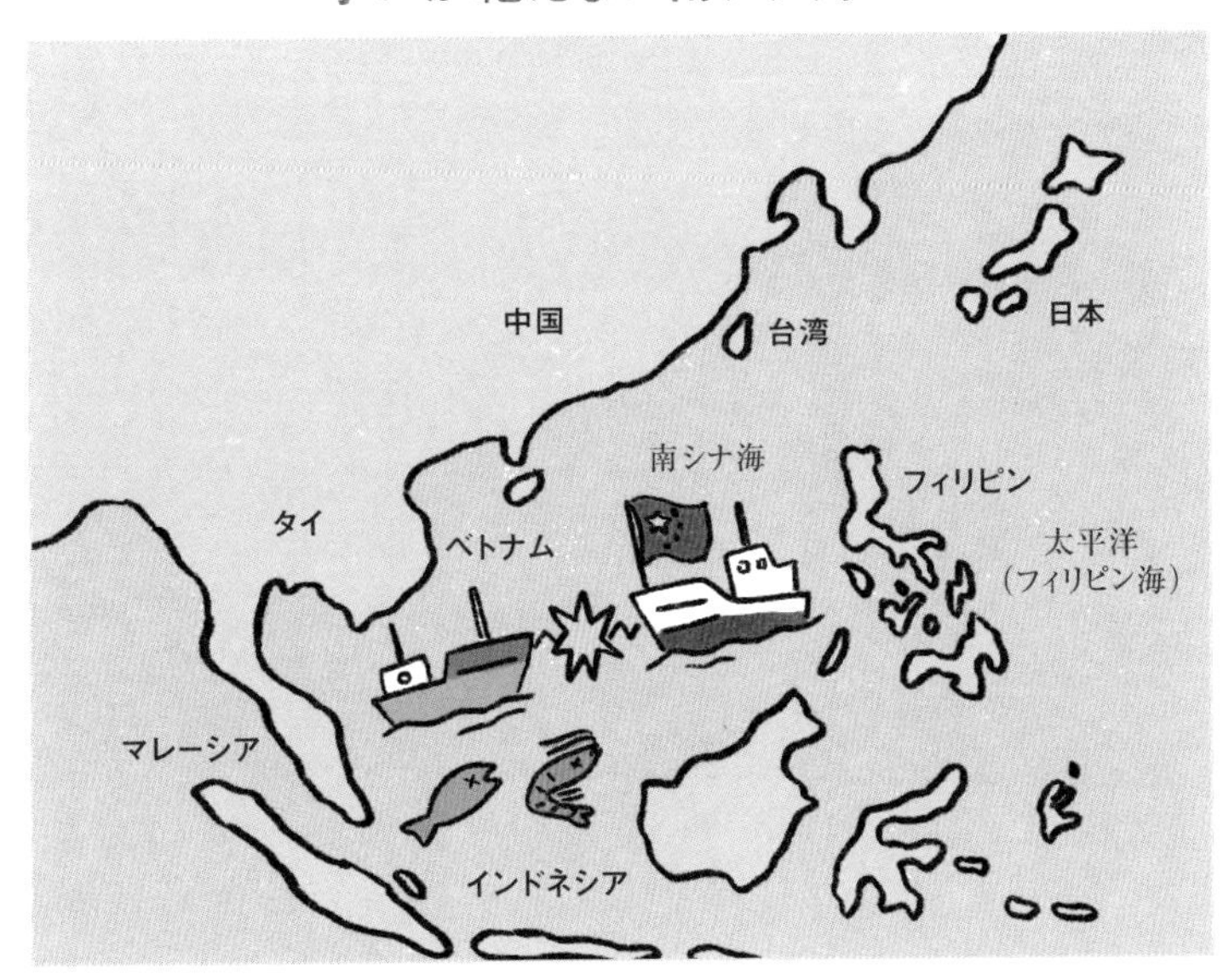

世界の海産種の3分の1が集まるといわれる南シナ海は、ベトナム、マレーシア、ブルネイ、フィリピン、インドネシア、台湾、中国が領有権を争う海。密漁や乱獲が問題になっており、一部の水域の水産資源量は60年前の10分の1以下に激減しました。一部では爆弾や猛毒を使った漁法により、サンゴ礁や希少種が失われています。

Society&Economy　07　Southeast Asia

東南アジアの人々は日本のことが大好き

東南アジアはどこの国も親日国。さまざまな交流が生まれています。
背景には長年の信頼関係がありました。

日本

生産、技能実習生

どんどん発展して
共存共栄しよー

追いつかれる……

経済成長は魅力だけど
遠いんだよね……

\ POINT /

1

品質への信頼を武器に進出する日本の企業

品質の高い日本の製品・サービスが
人々の生活に浸透。
街中で多くのメイドインジャパンを
目にすることができます。

\ POINT /

2

観光、技能実習、文化交流……東南アジアから見た日本の魅力

東南アジアでは、観光や留学、技能実習においても日本への関心が高まっており、日本も積極的に受け入れています。文化やスポーツを通じた交流も盛んになり、今後ますます関係が密接なるでしょう。

\ POINT /

3

長年のODAで結ばれた日本と各国の深い絆

日本と東南アジアの良好な関係の背景には、東南アジアの発展に寄与した日本の ODAがあります。現在の日本の外交方針は、「福田ドクトリン」と呼ばれる原則を踏襲しています。

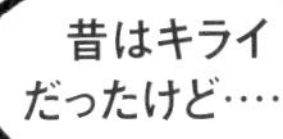
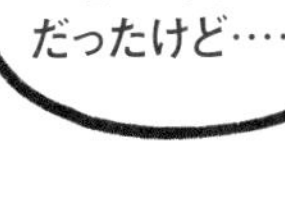

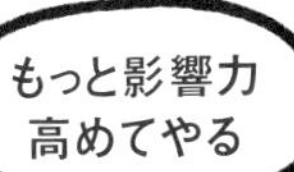

＼POINT／
1

対日関係（ビジネス）

品質への信頼を武器に進出する日本の企業

安価な労働賃金と経済成長、市場拡大を背景に、日本企業の東南アジア進出は円高ドル安を機に加速。２０１０年代以降、中国を生産・輸出拠点にしていた日本の製造業は、中国一極集中によるリスクを避ける戦略「チャイナ・プラスワン」のもと、東南アジアに次々と展開。これまでは地理的にも近いベトナムが中心でしたが、現在は後発国のカンボジアやミャ

進出先として期待される東南アジア

少子高齢化が進む日本では、労働力を求める企業の海外展開は不可避。日本企業の現地法人数は、タイ、シンガポール、インドネシア、ベトナムが多く、ASEAN全体では中国への進出数に匹敵します。

日本企業の海外進出 現地法人企業(2018年)

順位	国・地域	企業数
1位	中国本土	7,754
2位	米国	3,053
3位	タイ	2,455
4位	香港	1,220
5位	シンガポール	1,164
6位	インドネシア	1,140
7位	ベトナム	1,098
	ASEAN	7,441

政府も後押しするインフラ輸出

日本政府は2013年に「経協インフラ戦略会議」を立ち上げ、2020年までに30兆円受注という目標を掲げ、企業のインフラ輸出を支援。2018年時点で25兆円に達しており、今後もいっそう推進していくとしています。

新興国のインフラシステム受注

2010年
約10兆円

2018年
約25兆円

ンマーも注目されています。

品質が高い日本製品は現地の信頼を得ており、日用品や化粧品、家電製品、インスタント食品などは特に人気です。高い技術水準は、ビルや商業施設・発電所の建設でも貢献。**新興国のインフラ整備は日本政府もバックアップ**しており、今後も受注が増えていくと見込まれます。

サービス業でも多くの企業が進出しており、日本の小売店や外食チェーンが増えています。今日の東南アジアでは、**街の随所で"日本発"を目にすることができる**のです。

人々の生活に定着する日本発の商材

日本の大手コンビニ3社はいずれも東南アジア進出に積極的。特にセブン-イレブンはタイ最大の財閥CP（チャロン・ポカパン）グループとの合弁により、域内店舗数を増やしています（タイに約1.2万店、日本国内は約2.1万店）。小売ではイオンモールやドン・キホーテも店舗数を拡大。食品ではエースコックがベトナムでの即席麺シェア5割を占めるほか、日清の即席麺が各国のスーパーに並びます。無印良品、資生堂、ユニ・チャームなどアパレルや生活用品のブランド力も広く認知され、ユニクロは日本国内の800店強に対し東南アジアへの出店数が220を超えるほど。アニメやゲームも堅調で、Play Stationは多くの国で販売されています。

POINT 2

対日関係（交流）

観光、技能実習、文化交流……東南アジアから見た日本の魅力

近年、国内で外国人をよく見かけるようになりました。その多くは訪日観光客や技能実習生で、東南アジアの人もたくさんいます。

訪日観光客は、政府の観光立国推進により、2019年に3200万人弱に。インバウンド消費は4.8兆円にのぼり、近年の日本経済を大いに支えてきました。東南アジアに対しては短期滞在者向けにビザ緩和が徐々に進められて

訪日ビザ緩和で観光客が急増

東南アジアでは日本への旅行が大人気です。特に、タイ、ベトナム、シンガポールからの観光客が多くなっています。現地では、日本のテレビ番組が数多く放送されており、旅行番組を見て日本を知る人もたくさんいます。中でも、雪の降らない東南アジアの人たちにとって、北海道は憧れの的。ニセコのスキー場やさっぽろ雪まつりは人気になっています。また、白川郷や京都などの定番観光地も根強い人気です。2019年の東南アジア6ヵ国（ベトナム、タイ、マレーシア、シンガポール、フィリピン、インドネシア）の訪日観光客は380万人を超えています。

おり、タイ、マレーシア、シンガポール、ブルネイ、インドネシアは原則免除されています。

外国人留学生はベトナムが多く、ミャンマーも急増しています。先進国の技術を学ぶために渡航する**技能実習生も、ベトナムが最多**。日本の技能を現地へ移転する一翼を担っています。その他、**スポーツや文化、ボランティアなどの交流**も盛んです。

これらは新型コロナウイルスの影響で一時的に停滞しましたが、長期的にはますます活発になるでしょう。

技能実習生の出身地も東南アジアが1位

途上国、新興国が人材育成のため、日本に労働者を派遣する仕組みが外国人技能実習制度です。技能実習による外国人労働者は2019年12月で41万人に達しており、東南アジア全体では約32万人で、ベトナム、フィリピン、インドネシアが多くなっています。実習生は、農業生産や工場、建設現場などの場所で働いています。

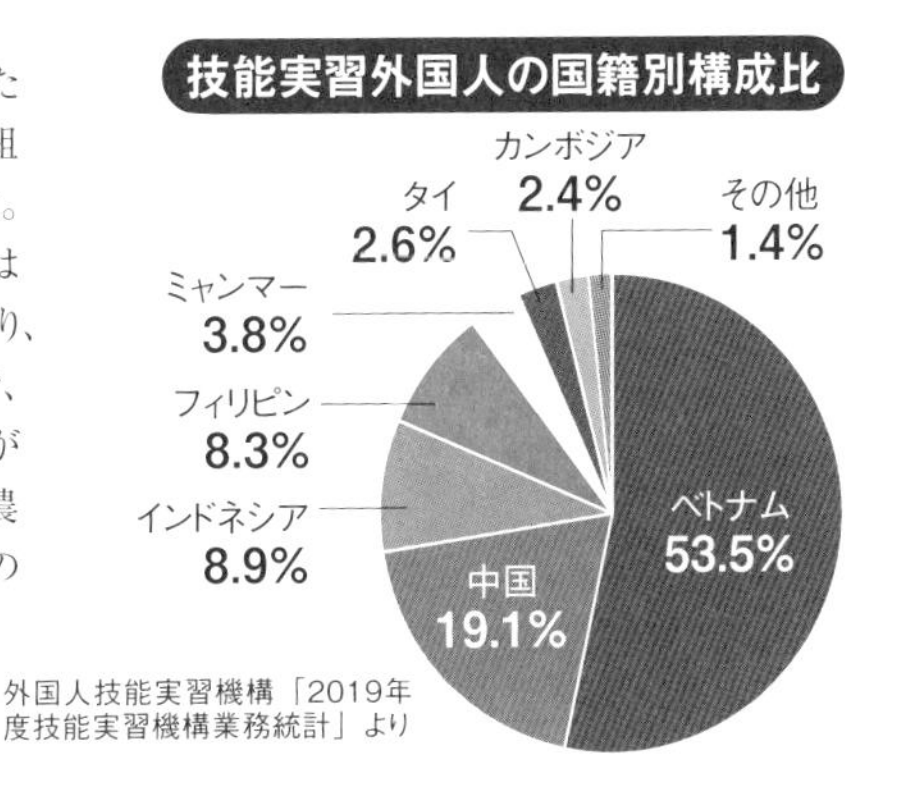

外国人技能実習機構「2019年度技能実習機構業務統計」より

スポーツを通じて生まれる新たな交流

アジアには、「アジア競技大会」という国際競技大会があり、一般的なスポーツに加え、セパタクローや空手などの独特の種目で、日本や中国、東南アジアの国々が競い合います。2018年はインドネシアで開催されました。東南アジア諸国は、ASEANとしてサッカーワールドカップの2034年開催を目指すなど、スポーツの活性化に前向きです。

POINT 3

対日関係（外交）

長年のODAで結ばれた日本と各国の深い絆

あらゆる面で東南アジアとの関係が良好な日本ですが、初めからそうだったわけではありません。第二次世界大戦中、日本は東南アジアを占領支配していました（P104）。戦後、独立を遂げた東南アジア諸国では、日本製品の氾濫、現地社会を顧みない日本企業の行動から、反日感情が高まっていきます。その一方で日本は高度経済成長の真っ只中。東南アジアに対

東南アジアの外交方針 “福田ドクトリン”

福田赳夫総理大臣（当時）

福田ドクトリンの姿勢は、東南アジア諸国から多くの支持を受けました。ポイントは三つ、①軍事大国にならないとの決意のもと、東南アジア、ひいては世界の平和と繁栄に貢献していくこと、②東南アジア地域との間で、政治・経済のみならず、社会、文化など広範な分野において、心と心の触れ合う相互信頼関係の構築を目指すこと、③対等な協力者として、連帯と強靱性の強化に向けたASEANの自主努力に協力することです。

して戦時賠償に加え、ODA(政府開発援助)による積極的な支援を始めます。

1977年、当時の首相・福田赳夫は、東南アジアに対して相互信頼醸成の姿勢を示した演説をフィリピンで行いました。この内容は「福田ドクトリン」として、現在まで受け継がれる東南アジア外交政策の柱になっています。

長年の経済協力と企業の投資により、東南アジアは大きく発展しました。そして現在、**多くの国が日本を信頼すべき友邦国としている**のです。

対日感情は、どこの国も良好

各国の信頼すべき友邦国(2019年)

	ASEAN	ベトナム	カンボジア	ラオス	タイ
1位	**日本**	**日本**	**日本**	中国	**日本**
2位	中国	ロシア	中国	**日本**	中国
3位	米国	米国	米国	韓国	米国
4位	イギリス	韓国	EU	ロシア	インドネシア
5位	ロシア/インドネシア	EU	韓国	米国	EU/イギリス

	ミャンマー	マレーシア	シンガポール	フィリピン	インドネシア
1位	**日本**	中国	米国	米国	**日本**
2位	中国	**日本**	中国	**日本**	サウジアラビア
3位	韓国	サウジアラビア	**日本**	中国	中国
4位	米国	インドネシア	イギリス	ロシア	ロシア
5位	ロシア	トルコ	豪州	韓国	米国

外務省「ASEAN(10ヵ国)における対日世論調査結果」(2019年)より

ASEAN各国の世論調査では、多くの国で日本を信頼すべき友邦国としています。東南アジアを日本人が訪れると、「あの橋は日本の援助で建設された」と案内されることがあります。

助川教授の東南アジア・コラム

02

東南アジアで活躍する日本のスタートアップ企業

日本企業の東南アジアへの進出を見てきましたが、進出するのは大企業だけではありません。大がかりな工場やオフィスがなくてもビジネスを展開できる近年、中小・ベンチャー企業の進出や、個人事業主が現地で法人を設立して事業を行うケースも急増しています。

特に多いのが、少ない出資で立ち上げられる、デジタル関連のビジネスです。ウェブサイトやアプリの作成はもちろん、販売・教育・医療といった既存サービスのデジタル化など、幅広い潜在ニーズがあります。また、電力不足と環境配慮を背景とした、風力や地熱、バイオマスなどクリーンエネルギーの導入、ベンチャーキャピタルによる現地企業への投資や経営コンサルティング、Lazadaなどの巨大プラットフォームを活用した、自社商品のEC販売なども増えてきています。

スタートアップ企業が東南アジアに進出する際、JETRO（日本貿易振興機構）やJICA（国際協力機構）の協力を得る方法があります。関連企業のマッチングや情報の提供、現地のビジネスイベントへの参加など、さまざまな有効なサポートを受けられます。

また、「WAOJE（ワオージェ）」という、海外を拠点とする日本人起業家のネットワークもあります。2004年に香港で発祥した「和僑会（わきょうかい）」を母体とする組織で、世界のあらゆる都市に拠点を拡大中です。現地の日本人が定期的に集まり、情報交換や事業開拓の相談をしており、若いビジネスマンも多く所属しています。人脈形成における、強い味方になっているのです。

第2章

Politics & History of Southeast Asia

東南アジアの政治・歴史

国際社会における重要度を高める東南アジア。ASEANや諸外国の関係性はどのようになっているのか。政治的事情と歴史的背景を知れば、理解がさらに深まります。

Keywords

#共和制　#社会主義　#立憲君主制　#ASEAN　#全会一致原則　#内政不干渉　#アジア通貨危機　#FTA　#TPP　#RCEP　#マラッカ海峡　#米中貿易摩擦　#米軍駐留基地　#一帯一路　#古代文明　#アンコール・ワット　#アユタヤ朝　#大航海時代　#植民地　#民族運動　#太平洋戦争　#日本軍の占領　#東西冷戦　#スマトラ島沖大地震　#新型コロナウイルス　#サプライチェーン　#地球環境問題

Politics&History　01　Southeast Asia

各国で異なり 時代とともに変化する政治体制

政治体制は各国で異なり、一部には不安定な国もあります。
それぞれの特色を見ていきましょう。

立憲君主制

ブルネイ

国王が富を集約し、強い権限で国を統治しています。

カンボジア

国王は君臨しますが、統治はしません。憲法は1993年にできました。

タイ

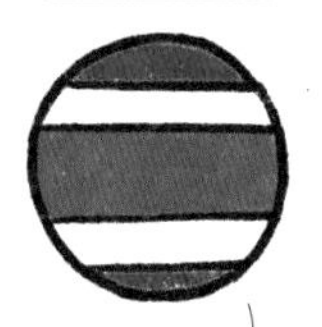

王政のもと、近年、クーデターが度々発生しています。

マレーシア

各州の君主(スルタン)が、互選で国王を選出します。

共和制

フィリピン

任期6年の大統領制です。

インドネシア

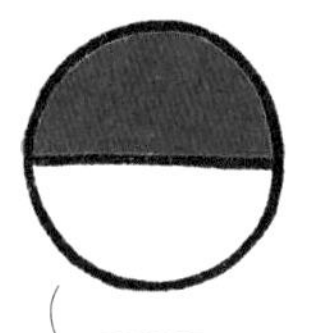

東南アジアの中で、最も民主的な国といわれています。

東ティモール

そもそも、2002年に独立したばかり。始まったばかりです。

東南アジアはどの国も議会・選挙があり、形式上は民主的ですが、内情は各国で大きく異なります。ベトナムとラオスは、社会主義政党による一党独裁。実質的には市場主義経済を採用する、中国に近い構造です。カンボジア、タイ、マレーシア、ブルネイは国王がおり、君主の権力を憲法が制限する立憲君主制。タイやブルネイの政権構造は日本と同じですが、君主の権限が強い傾向にあります。ミャンマー、シンガポール、フィリピン、インドネシア、東ティモールは共和制で、大統領が政治を指揮します。ただし、国軍が強い影響力を持つミャンマー、支持基盤が強大で与党に有利な構造のシンガポールなど、個別の事情があります。

社会主義体制

ラオス

人民革命党の一党独裁。議会もかなり支配しています。

ベトナム

共産党の一党独裁。国家統制は結構強めです。

政権構造が変わる流動的な社会

体制安定から間もない国も多数あるほか、クーデターで政治体制のリセットを狙う国もあります。日本では政権が変わっても、政権構造自体は不変ですが、東南アジアでは政治体制自体が抜本的に変わる可能性も否定できません。

尊重し合う共同体 ASEANの光と影

東南アジアの10ヵ国からなる政府間組織・ASEANは、
全会一致と内政不干渉が原則。EUなど、他の共同体とは一味違います。

POINT 1

全会一致と内政不干渉がASEANのルール

ASEANには、
加盟国は対等という前提があり、
決定事項は全会一致によります。
また、政治体制がそれぞれ
異なるため、お互いの内政には
口出ししないという
原則があります。

POINT
2
半世紀を経て結束した
ASEANの強み
ASEANが発足したのは1967年。
半世紀の道のりの中で
多くの困難を乗り越えてきました。
互いを尊重するゆるやかな共同体ですが、
それぞれの利害を実現すべく
協力する、世界でも特異な
“強いチーム”になっています。
静粛に！
米とも中とも
仲良く
内政には
口出さないで!!
全会一致ルール

POINT 1

ASEAN（機能）

全会一致と内政不干渉がASEANのルール

ASEANは東南アジアの政府間組織。現在は11ヵ国中10ヵ国が加盟し、残る東ティモールはオブザーバーという位置づけです。

年に2回の首脳会談が行われ、議長国はアルファベット順で毎年変わります。その他、閣僚会議も行われ、経済や軍事、教育など、あらゆるテーマについて協議されます。

ASEANの特徴は互いを尊重し合う姿勢です。

加盟

ルールが成文化されたASEAN憲章

ASEANは、「ASEAN Way」（ASEAN方式）と呼ばれる規範に沿って運営されてきました。主な内容は、「紛争の平和的解決」「協議とコンセンサスによる意思決定（全会一致）方式」「内政不干渉の原則」「非公式主義」「決定事項の加盟国による自発的実行」。いずれも緩やかなニュアンスですが、文化や歴史、政治体制が異なる加盟国の協調には不可欠な価値観です。これらは共通認識でしかありませんでしたが、2007年に初めてASEAN憲章として成文化、翌2008年に発効しています。なお、議長国は議論するテーマを決める役割があります。

国は対等であるという考えが根底にあり、基本的に全会一致で意思決定が行われます。事実上、加盟国全てが拒否権を持っている仕組みで、国によって発言権に大小があるEUとは大きく異なります。

もう一つの大きな特徴が

内政不干渉の原則。つまり、他国の国内事情には口を出さないことです。決定事項は各国が自発的に実行することも原則で、極めて緩やかなルールになっています。

これらの原則や考えは「ASEAN Way」と呼ばれ、2007年に憲章化されました。

ASEAN Wayのマイナスの側面

ASEAN Wayは良いことばかりではありません。互いに心地良いルールが、時にASEAN全体の首を締めるのです。全会一致が必要ということは、たった1ヵ国の反対で足並みがそろわなくなるということ。内政不干渉においては、非民主的な政治が放置されれば、国際社会から批判を受ける懸念もあります。軍事政権時代のミャンマーが議長国となった2006年、人権侵害を問題視した欧米諸国が「ミャンマーが議長国に就任するなら、ASEANとの会合をボイコットする」と圧力をかけ、機能不全に陥りました。ミャンマーが形式上、自発的に議長を辞退することで収束しましたが、それでもASEANは内政不干渉の原則を維持し、現在に至っています。

POINT 2

ASEAN（設立過程）

半世紀を経て結束したASEANの強み

ASEANの発足は1967年、「バンコク宣言」を発出したことに遡ります。当時の加盟国は、インドネシア、マレーシア、フィリピン、シンガポール、タイの5ヵ国。東西冷戦時代、共産主義国家であったベトナム、カンボジア、ラオスに対する「反共の砦」としてスタートしています。当時は5ヵ国間でも領土問題、民族問題による対立がありましたが、対話を積み重ねて関

反共産圏の結束から、対話・協力へ

1967年 ASEAN設立

インドネシア
マレーシア
フィリピン
シンガポール
タイ
が加盟

1984年

ブルネイ
が加盟

1995～99年

ベトナム
ラオス
ミャンマー
カンボジア
が加盟

現在

東ティモールも加盟で原則合意

20世紀後半、大陸部へ勢力拡大を狙うソ連などの共産主義陣営を恐れて、島嶼（とうしょ）部諸国およびタイは、ASEANを設立します。アメリカはベトナム戦争の激化を受け、1969年に東南アジアへの過度な軍事介入の抑制を表明。マレーシアやシンガポールからはイギリス軍も撤退したことで、より危機感が高まりました。ソ連が崩壊して共産主義勢力が弱まった後は、ベトナムなどが加盟。世界の中の一大勢力として21世紀を迎えたのです。

係を正常化していきました。

一つの地域としてまとまったＡＳＥＡＮは、先進国からの投資を誘致し、経済を発展させていきます。冷戦が終結した１９９０年代以降、ベトナム、ラオス、ミャンマー、カンボジアが加わり、現在のメンバーが出そろいました。

団結力を強めたＡＳＥＡＮは、**諸外国との集団交渉**でも機能します。**自国に無関係の問題であっても、他国のために協調の姿勢をとること**もあり、世界で最も成功をおさめた地域協力機構ともいわれています。

一枚岩で戦った日本との合成ゴム問題

1971年、日本の安価な合成ゴムが、タイやマレーシア、インドネシアの天然ゴム産業を圧迫していました。マレーシアは個別で日本と交渉を進めていましたが、ASEANにこの問題を持ち込み、加盟国は連携して日本との交渉にあたることを決定。日本はASEANの天然ゴム市場に不利益を与えないことを約束しました。

シンガポールに歩調を合わせたオーストラリアへの要求

1978年、オーストラリアがヨーロッパ間の直行便運賃を大幅に下げることを検討していました。中間地点に位置するシンガポールは、ハブ空港の機能強化を狙っており、途中寄港旅客の減少を懸念し反発。他の加盟国はシンガポールに加勢し集団でオーストラリアに交渉、解決策の合意に成功しました。

ASEAN経済共同体が実現する自由貿易と競争力強化

ASEANの団結力は、経済や貿易、投資でも発揮されていきます。
域内外の自由貿易協定について見ていきましょう。

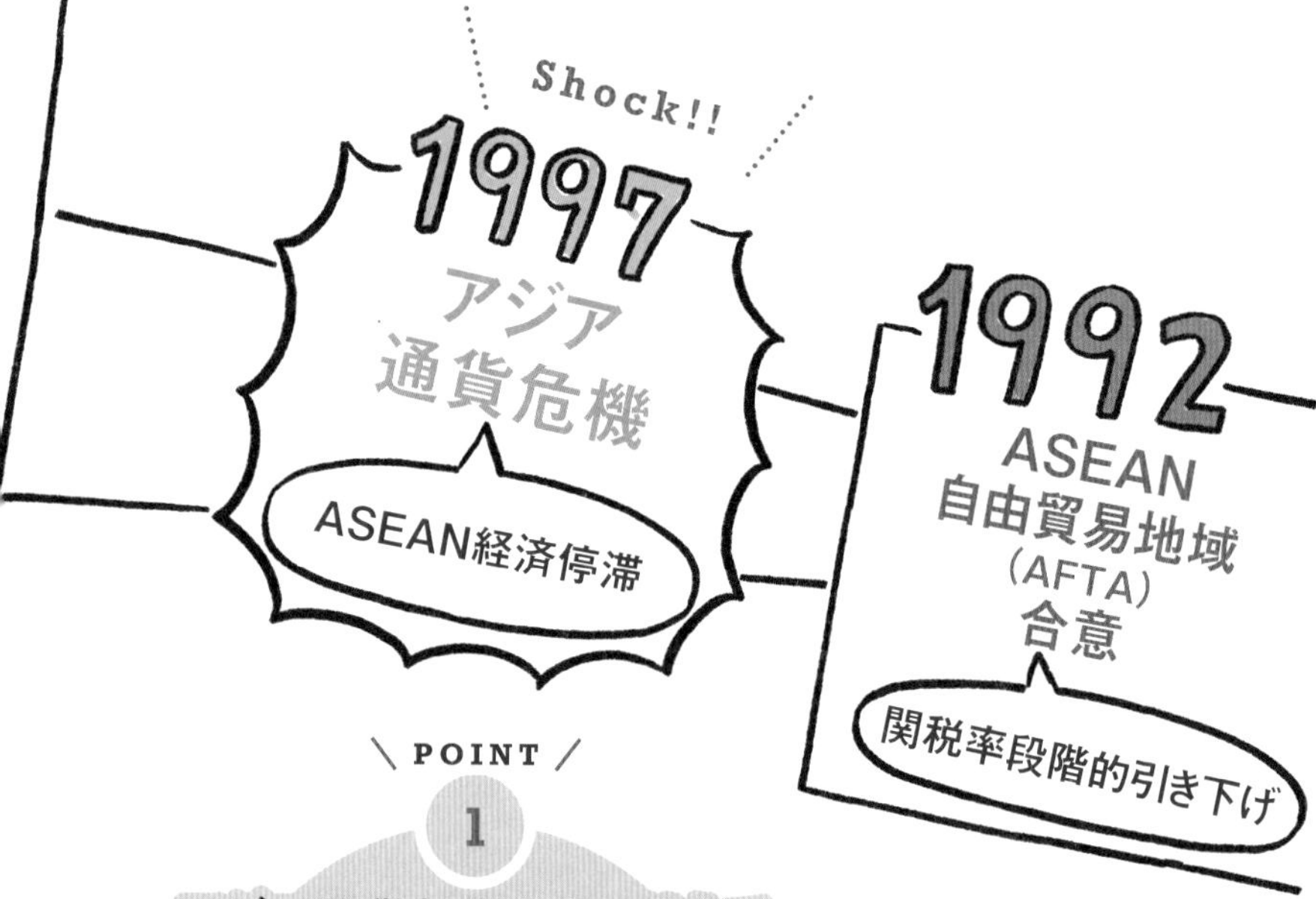

\ POINT /
1

アジア通貨危機を乗り越えて強化されるASEANのネットワーク

ASEANでは1992年から自由貿易への取り組みを始めました。1997年に起こったアジア通貨危機で大打撃を受けたASEANはいっそうの連携強化に乗り出し、2015年にASEAN経済共同体（AEC）が発足しました。

Chance!!

域外も
自由化するぞー!!

太平洋と

TPP11 2018発効
（ASEAN4カ国）

東アジアと

RCEP 署名

アジア&太平洋で

FTAAP 構想中

自由化

2015
ASEAN
経済共同体
（AEC）
発足

域内関税撤廃

日本との貿易も
活性化するかもね

＼ POINT ／
2

メガFTAの中で試される東南アジア

自由貿易で成長を遂げてきた東南アジアは、巨大な自由貿易協定「メガFTA」に積極的です。2020年には世界最大のFTA「RCEP」に署名。生産・輸出のハブ拠点を目指しています。

POINT 1

域内貿易

アジア通貨危機を乗り越えて強化されるASEANのネットワーク

政治・経済で非常に重要になる貿易。関税などの障壁を削減・撤廃するFTA（自由貿易協定）や、FTAをグレードアップし、投資の自由化や人の移動も促進するEPA（経済連携協定）は、企業の多国間取引を活性化するだけでなく、消費者に他国の物品を安く届けるなど、多くの点でメリットがあります。

ASEAN加盟国は1992年、域内の関税率を段階的

現地通貨が暴落したアジア通貨危機

高い経済成長をしていた東南アジアでは、海外からの短期資本が一気に流入。多くの国はドルに対する固定相場制を採用しており、現地通貨は次第に過大評価されていきます。そして1997年に欧米ヘッジファンドがタイの通貨・バーツの大量売却を政府が買い支えられず、変動相場制に移行、通貨が一気に暴落しました。影響はASEAN諸国、さらには韓国にまで波及、アジア通貨危機と呼ばれます。金融・財政が特に悪化したタイとインドネシアは、IMF（国際通貨基金）の支援を受けました。この教訓を踏まえ、ASEANと日中韓は、外貨準備を短期的に融通しあう協定「チェンマイ・イニシアティブ」を創設し、セーフティーネットを整えています。

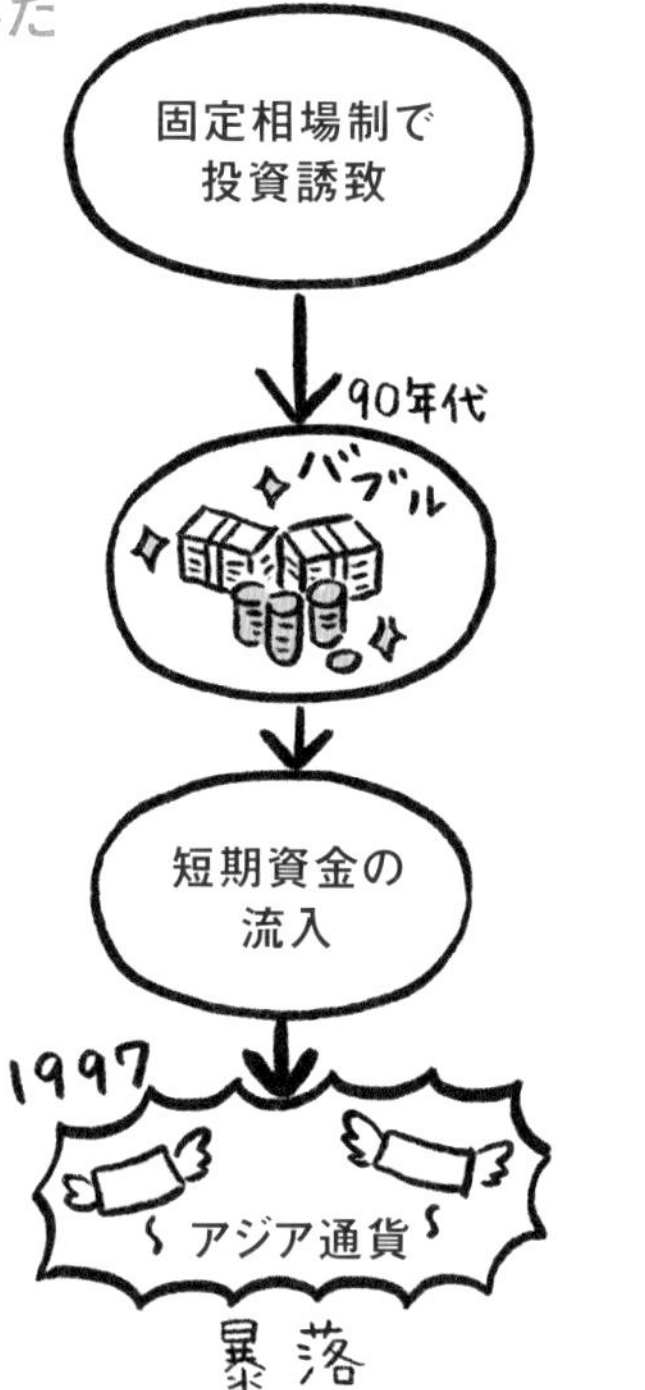

に引き下げるＡＦＴＡ（ＡＳＥＡＮ自由貿易地域）に署名。加盟国の国際競争力を高めることを目指し、ＦＴＡの構築に踏み出しました。しかし、１９９７年、現地通貨の過大評価を投機筋に狙われ、**アジア通貨危機**が発生。各国の現地通貨の暴落により経済は大混乱、危機感を強めたＡＳＥＡＮは、より広範な経済統合を目指し、ＥＰＡに近い、**AEC（ASEAN経済共同体）**を構想します。そして２０１５年、ＡＥＣが正式に発足。現在は関税以外でも経済の一体化が進んでいます。

ASEAN経済共同体が目指す2025年

輸送、ICT、
科学技術強化

グローバル経済
への統合

ヒト・モノ・
投資の
移動自由化

域外との
連携も

域内の
統合も

経済の一本化をより進めることで外資企業のさらなる投資・誘致を目指し、2015年に発足したAECは、貿易の円滑化、サービス貿易、投資、労働者の移動の自由化、基準認証などを進める、ヒト・モノ・カネ・情報が自由に行き来するための経済共同体です。2015年の発足時に未達成の課題は、2025年までの計画「AECブループリント2025」に移され、作業が継続されています。ここには高度に統合し、結合した経済、競争力のある革新的でダイナミックなASEAN、高度化した連結性と分野別協力、強靭で包摂的、人間本位・人間中心のASEAN、グローバルASEANの五つの柱が掲げられています。

＼POINT／
2

域外貿易

メガFTAの中で試される東南アジア

世界中で進む「FTA」の仲間づくり。より広域な地域で自由貿易を目指す"メガFTA"は、トランプ政権時代に保護貿易路線をたどったアメリカや、EU離脱により先行きが不透明なイギリスなどの影響で、複雑化しています。アジア・太平洋地域とのつながりが強い東南アジア諸国は、ASEANを超えたFTAネットワークに積極的に参入しています。

アジア・太平洋に広がるFTAネットワーク

2010年に開始されたTPP交渉は、アメリカからの厳しい条件に翻弄されたあげく、2017年のアメリカの離脱により発効できなくなりましたが、残された11カ国が協定を復活、一部修正して2018年12月に発効されました。ASEANからは、ベトナム、マレーシア、シンガポール、ブルネイが参加しており、タイやインドネシアが関心を表明しています。

RCEPは、ASEANと日中韓、オーストラリア、ニュージーランド、インドが2013年以降交渉を続けてきた協定で、インドが離脱したものの世界人口・GDPの約3割を抱える巨大な経済圏です。関税の撤廃率は品目数で91%に上り、2020年11月の合意は大きな注目を集めました。

TPPとRCEPを包含する、より広大なFTAAPも提唱されていますが、覇権争いを繰り広げる中国とアメリカを含むFTAであるため、交渉に至るかは見通せません。

FTAAP
構想のみ

関心表明

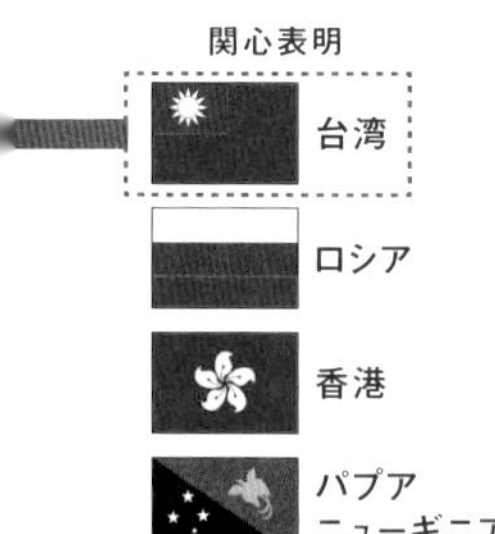

アメリカの離脱で話題となったTPP（環太平洋パートナーシップ協定）は、**TPP11**として引き継がれ、2018年に発効。日本やASEANの一部の国を含む11ヵ国でスタートしました。一方、中国、インドなどを含む東アジアの16ヵ国で構成される**RCEP**（地域的な包括的経済連携）は、2020年に合意（インドは参加見送り）され、ASEANがその中心にいます。

メガFTAは、企業にとってのASEANの活用方法の幅を広げるでしょう。

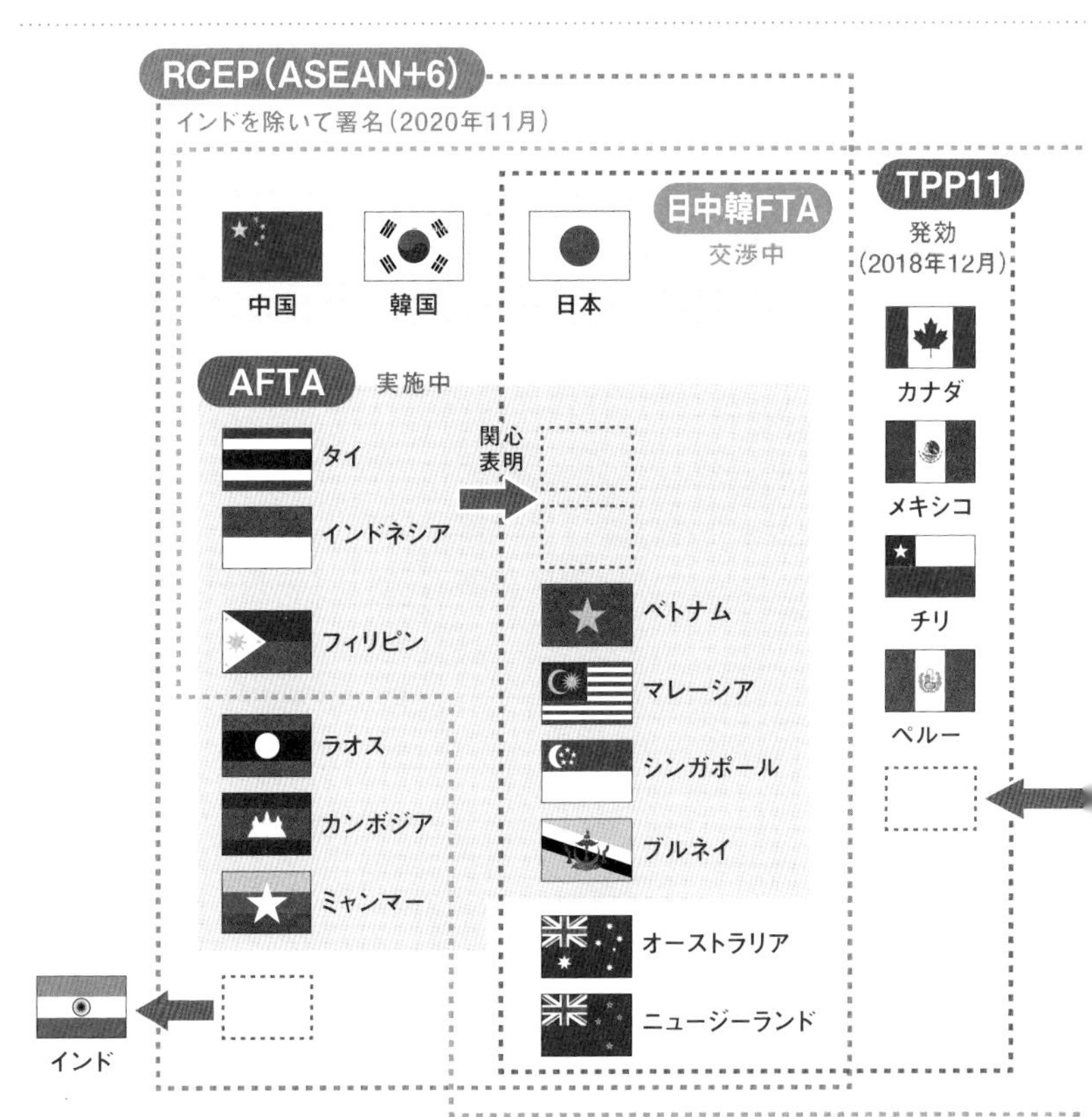

仲が悪いわけではないけれど……錯綜する各国の力関係

ASEANで結束を強める東南アジア諸国ですが、利害の衝突もあります。その力関係は、政権の安定度や経済規模にも左右されます。

＼ POINT ／

1

海洋に左右される島嶼部の国々

高所得化を実現したシンガポール、G20のメンバーでもあるインドネシアなど、多様性に富んだ島嶼部の国々。多くの国が、大陸部諸国よりも早く発展してきました。

＼ POINT ／

2

格差が大きい大陸部の関係性

大陸部の国々は、長らく戦時下にあったことから社会整備に取り組んだ時期にばらつきがあり、発展の度合いが発言力に影響。前国王のもとで経済開発を進めたタイと、それ以外の4ヵ国には、大きな格差が存在します。

東南アジアの力関係

政権が安定し、経済力があるほど強い

※ルール上は対等です……

大陸部

発言力大も
長期間政治不安定

タイの尊大な態度が
気に入らない

POINT 1

国家間情勢（島嶼部）

海洋に左右される島嶼部の国々

島嶼部の国々は大陸部よりも早く発展してきました。その大きな要因の一つが、マラッカ海峡を含む海域が、海運における要衝であったこと。シンガポールが特に発展したのは貨物の中継拠点として好立地だったからです。基本的には協調的な島嶼部の国々ですが、海洋ルートの覇権や南シナ海の領有権を巡って、主張が対立することもあります。

マラッカ海峡を巡る各国の関係

太平洋とインド洋を結ぶ東南アジアの海域は、国際貿易における要衝です。中でも最短ルートにあたるマラッカ海峡は、世界中の船舶が通行。一時期は海賊も出没しました。マラッカ海峡にかわる最短ルートとして、タイは長年にわたり国土を貫通する運河開発の構想を持っています。中東の石油に依存する日本は、マラッカ海峡やインドネシアを通過するルートが封鎖されれば、経済が破綻するリスクがあります。それほど重要な海域なのです。

\ POINT /
2
国家間情勢（大陸部）

格差が大きい大陸部の関係性

大陸部は、独立後も東西冷戦下で長らく戦火にあった国が多く、いち早く工業化したタイが経済面で独走。後発国の周辺国には、タイの尊大な態度に嫌悪感を持つ国民もいます。ベトナムは90年代から成長を続ける一方で、最後のフロンティアと言われたミャンマーには２０２１年のクーデターで暗雲が立ち込めています。５ヵ国は**「メコン地域」**と呼ばれます。

メコン川を巡る各国の関係

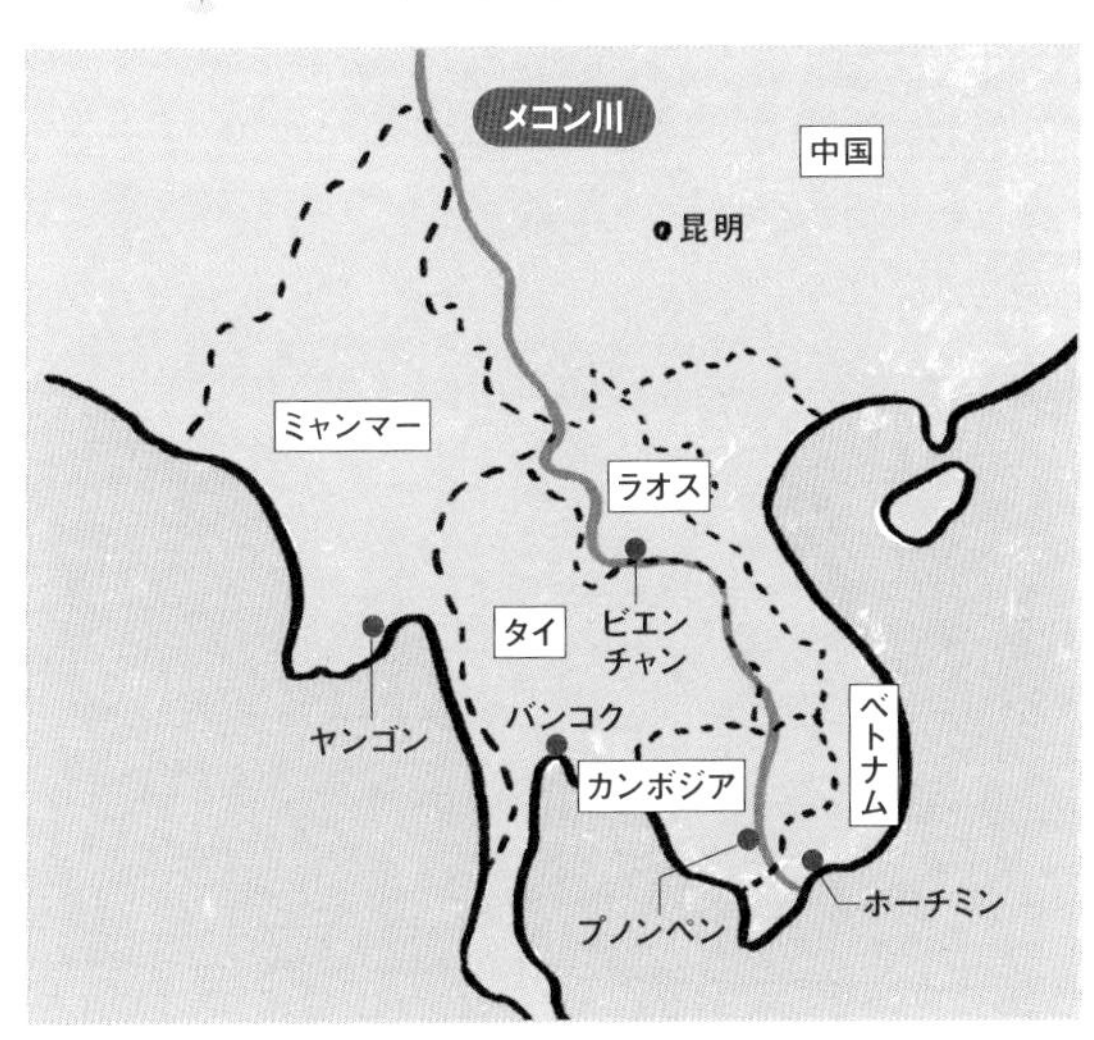

メコン川は、大陸部5ヵ国全てを流れる貴重な水源であり、上流は中国のチベット高原に至ります。ベトナム、カンボジア、ラオス、タイは、水資源管理のためにメコン川委員会を設置し、ダム建設などについて随時協議を行っています。しかし近年、中国が、メコン川上流に次々とダムを建設。その結果、下流の水位が低下し、淡水漁業や農業が影響を受けており、大陸部5ヵ国は中国への反発を強めています。

Politics&History 05 Southeast Asia

アメリカか、中国か、覇権争いに翻弄されるASEAN

東南アジアは、アメリカ、中国の２大国から大きな影響を受けやすい地域。
近年顕著な中国の勢力拡大により、各国のパワーバランスに変化が生じています。

＼POINT／
1

米中貿易摩擦も影響！アメリカの自国中心路線

東南アジアにとって、アメリカは貿易や軍事上、重要なパートナーです。しかし、トランプ政権時代の自国第一主義により、東南アジアの姿勢が変化。米中貿易摩擦の影響にも注目が集まっています。

\ POINT /

2

中国が着々と進める勢力圏の拡大

大国となり、周辺国への影響力を強める中国は、後発国のカンボジアやラオスなどを巧みにコントロールし、ASEANへの発言力を強めています。経済的に重要なパートナーでもある中国に、ASEANは対応に苦慮する場面も増えています。

POINT 1

対米外交

米中貿易摩擦も影響！アメリカの自国中心路線

アメリカがソ連・中国など共産主義勢力と対立していた冷戦時代、東南アジアは反共の防波堤として機能しました。この構造は日本と同様で、**フィリピンやタイにはアメリカ軍の基地**が置かれ、ベトナム戦争での米軍の出撃地になっていました。こうした経緯から、従来、フィリピンとタイは、東南アジアの中でも親米的で、アメリカも手厚く援助。2010年以

冷戦時代に駐留拠点となったフィリピンとタイ

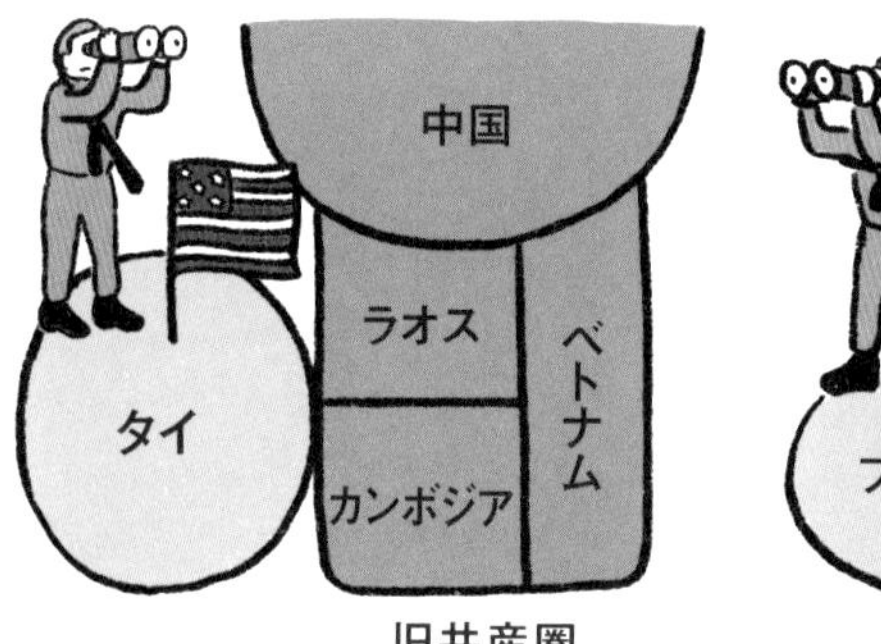

ベトナム、カンボジア、ラオスは、冷戦時代に共産主義勢力の一角を占めていました。アメリカは、フィリピンとタイに軍事拠点を置くことで、3ヵ国を挟み込むことができます。特にかつてアメリカの植民地であった、英語も通じるフィリピンは、あらゆる面で関係の深い国です。冷戦終結後、アメリカ軍はフィリピンの基地から撤退しましたが、中国の大国化、南シナ海への進出を受けて、再び米軍が駐留できるようにしています。

降、アメリカはインドネシア、ベトナム、マレーシアとも包括的パートナーシップ協定を結び関係を強化しています。

しかし近年、オバマ大統領が2013年のASEANとの会合に国内問題で欠席し、続くトランプ大統領も就任以降、首脳会議はほぼ欠席。ASEAN軽視の姿勢に加盟各国は態度を硬化。**アメリカはASEAN諸国の重要な貿易相手**です。自国第一主義から発展した**米中貿易摩擦の影響も受ける**ため、現地ではバイデン大統領の動向に注目が集まっています。

アメリカは貿易の主要相手国

アメリカの輸入相手(2020年)	
1位	中国(420億ドル)
2位	メキシコ(300億ドル)
3位	カナダ(250億ドル)
4位	**ASEAN(210億ドル)**
5位	日本(110億ドル)

「アメリカ国勢調査局」データより

アメリカの国・地域別輸入額では、ASEANは日本よりも上位です。ベトナム、カンボジア、タイにとってアメリカは最大の輸出国でもあり、シンガポールやミャンマーも増加傾向にあります。しかし、アメリカのASEANに対する貿易収支は慢性的に赤字になっており、トランプ政権では危機感を強めていました。このことはTPP離脱にも影響。東南アジアはアメリカ情勢に常に左右されるのです。

米中貿易摩擦が及ぼす経済への影響

米中両国の制裁的関税の対象地域でない東南アジアは、米中貿易摩擦を受け、進出ニーズが高まっています。特に中国に隣接するベトナムは、関税賦課を避けようとする中国企業が生産・対米輸出拠点として活用しようとしています。一方で、貿易赤字の拡大によってアメリカはベトナムを2020年12月、為替操作国に認定しました。

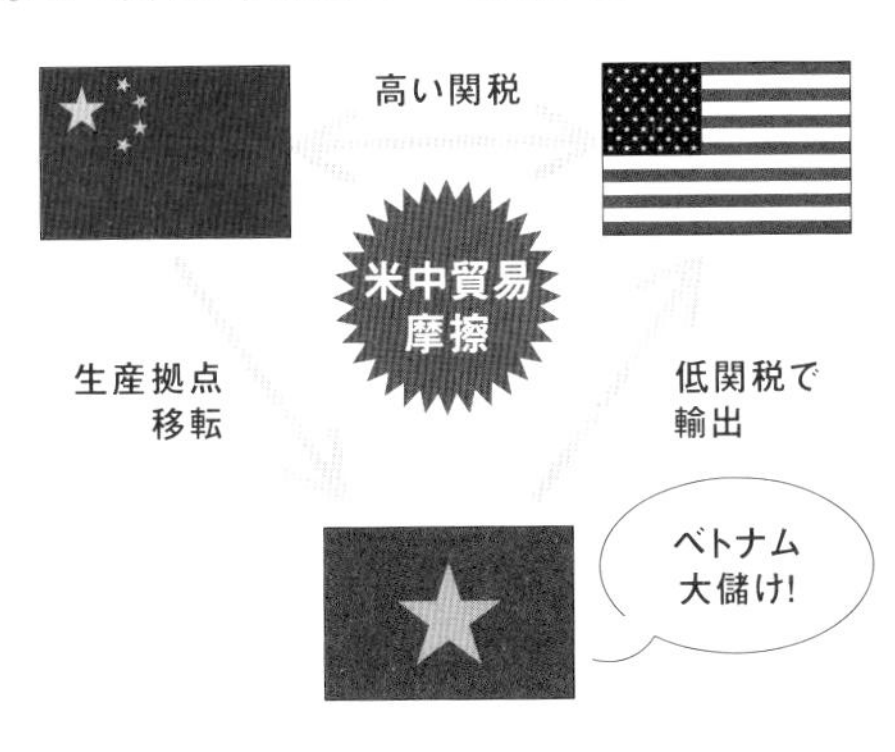

POINT 2

対中外交

中国が着々と進める勢力圏の拡大

21世紀になり、さらなる国力の増強を図る中国には、「一帯一路」という構想があります。中国からヨーロッパに至る、陸・海の物流ルートに投資し、経済圏を拡張しようとしており、これらのルートには東南アジアが含まれているのです。一帯一路開発は、東南アジア諸国にとってもインフラ整備などのメリットが多く、特に親中的なカンボジア、ラオス、ミャ

南シナ海を巡る中国との対立

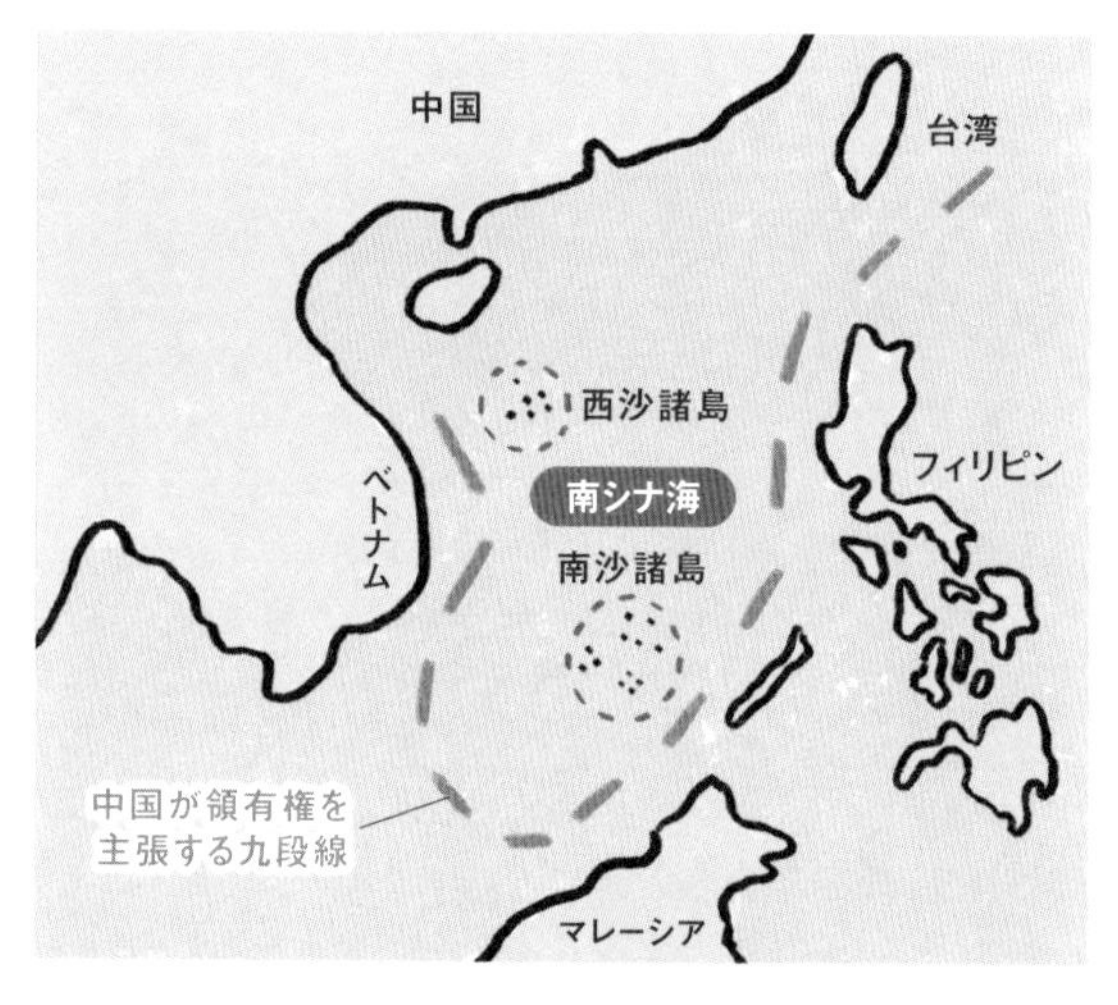

中国は2014年以降、南シナ海で人工島の造成を本格化。滑走路、ミサイル、レーダーを配備してきました。2020年、南沙諸島で、中国船がベトナム漁船に異常接近し、機材などを奪取。西沙諸島では、ベトナムの漁船が中国の公船に衝突され沈没し、フィリピンの軍艦が中国の軍艦よりレーザー照射を受けました。中国は、新たに「南沙区」「西沙区」を設置するとも発表しており、南シナ海の実効支配をさらに強めようとしています。

ンマーでは中国の経済援助は抜き出ています。

一方、**フィリピンやベトナムとは、南シナ海の領有権を巡って対立**を激化させています。南シナ海は、漁業・石油資源・海運・軍事がからみ合う複雑なエリアです。アメリカがフィリピンに駐留し、「航行の自由作戦」を実行。中国をけん制しています。

影響を強める中国に対し、ASEANは一丸となって対抗すべく協議しますが、親中の国が歩調を合わせません。**各国平等、全会一致の原則が、弱点となっている**のです。

親中国を利用したASEAN分断作戦

2012年、ASEAN外相会議で南シナ海問題が議論されました。ASEANでは議題設定や共同声明の草案作成が最終的に議長国に委ねられるのをいいことに、中国は、議長国・カンボジアに「南シナ海問題は中国・ASEANの問題ではなく、中国と一部の国との二国間問題」と主張するよう圧力をかけます。その結果、カンボジアが中国寄りの姿勢を示し、会議は紛糾、共同声明は不採択に。共同声明が発出できない事態はASEAN設立以来初めてのことで、地域協力機構としての存在意義を揺るがす事態となりました。

ヨーロッパの植民地支配から国境が生まれた歴史

東南アジアの複雑な社会は、歴史を知るとより理解できます。古代から現代に至る道のりを、五つのブロックに分け、次節と併せて追っていきます。

港市国家と宗教分布が生まれた文明形成期

東南アジアの歴史は紀元前に遡ります。東西の貿易は古くから行われ、中国やインド、イスラムの文化や宗教を吸収することで、文明の基礎を築いていきます。

15〜17世紀

POINT

2

大航海時代に始まった空前の交易ブーム

大航海時代に世界に乗り出した
ヨーロッパは、16世紀に東南アジアに到達。
地球を周回する貿易がスタートし、
その拠点として、それぞれの王国が
活気づいていきます。

18〜19世紀

POINT

3

近代に入り、欧米の植民地分割が激化

貿易収入を目的に、ヨーロッパは次第に
東南アジアを直接支配するようになります。
近代になり、欧米列強が
人為的に引いた国境は、今日まで
引き継がれているのです。

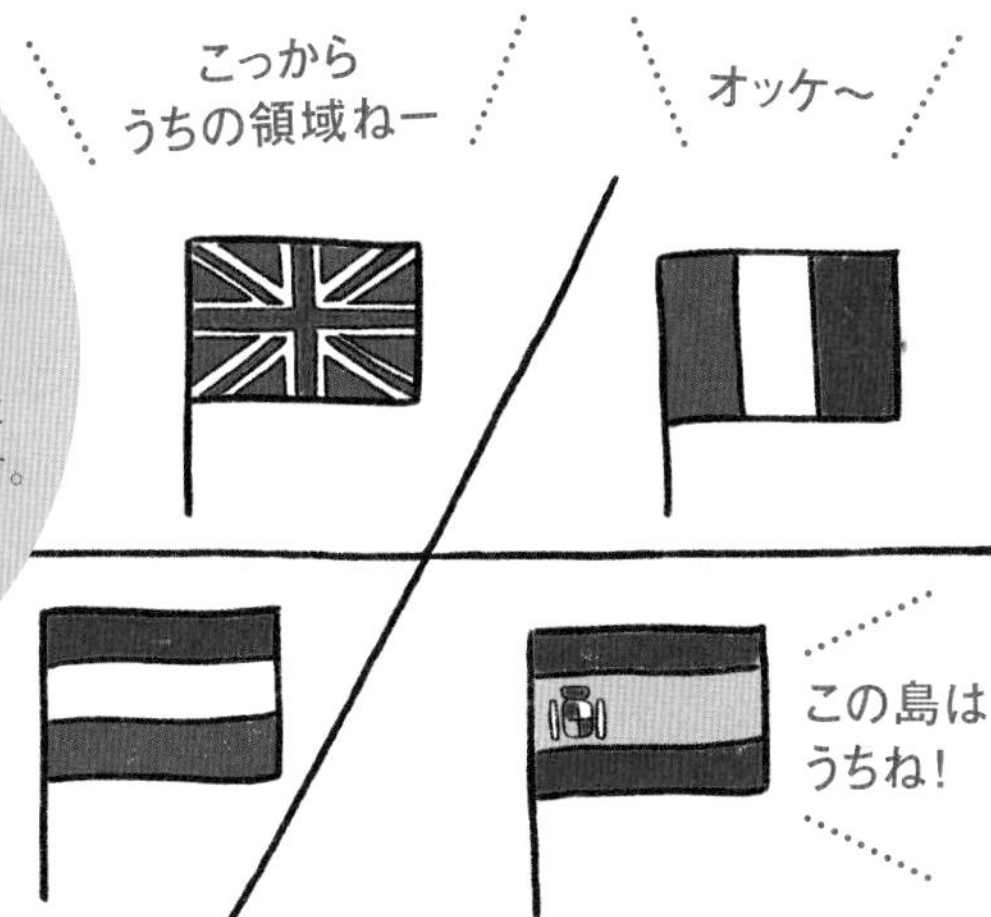

※イラストの国旗は現在のものです。

POINT 1

歴史（古代）

港市国家と宗教分布が生まれた文明形成期

2万年以上前、東南アジアの島嶼部の多くは、ユーラシア大陸と陸続きでした。この地に先住民が住みついて以後、大陸からさまざまな民族が到来し、多様な民族・言語が形成されていきます。

中国やインドで巨大な古代文明が栄えた2世紀頃になると、中間地点である東南アジアの港湾付近に、小さな港市国家が形成。異国の産品とともに宗教も伝来します。

「海のシルクロード」で栄えた初期の港市国家

東西交易の中継点として、扶南（ふなん）や林邑（りんゆう）（チャンパー）が古代に栄えました。扶南の港オケオの遺跡から出土した後漢やローマ帝国の遺物は、交易の広さを示しています。扶南はカンボジアに興った真臘（しんろう）が吸収。2世紀に漢から独立したチャンパーは、ベトナムの南部で17世紀まで存続します。

インドから伝わった仏教とヒンドゥー教

8世紀に真臘を統一して興ったアンコール朝は、巨大な寺院を次々と建立。有名なアンコール・ワットはその一つで、元はヒンドゥー教の寺院としてつくられ、16世紀に仏教寺院として改修されました。仏教とヒンドゥー教は島嶼部にも伝わっており、仏教を受容したジャワ島のシャイレンドラ朝は、ボロブドゥール寺院を長い年月をかけ建立します。

ボロブドゥール@インドネシア

インドの船がもたらした仏教やヒンドゥー教は現地に定着し、**宗教を導入する王朝が各地で隆盛**。アンコール朝（カンボジア）、シャイレンドラ朝、マタラム朝（インドネシア）、パガン朝（ミャンマー）、スコータイ朝（タイ）が栄えていきます。

7世紀以降は、マレー半島を陸路で横断していたそれまでの交易ルートに代わり、マラッカ海峡経由の海上ルートが主流になります。**イスラム商人の到来により、島嶼部にはイスラム教が定着**していくのです。

上座部仏教を導入した王朝の繁栄

現在のミャンマーを流れるエーヤワディー川流域から11世紀に台頭した、ビルマ族最初の王朝・パガン朝は、スリランカから伝来した上座部仏教を受容。首都を埋め尽くすほどの仏塔を建てましたが、モンゴル軍の侵攻により滅びます。タイでは、13世紀に上座部仏教を信奉したタイ族最古の王朝・スコータイ朝が栄えます。

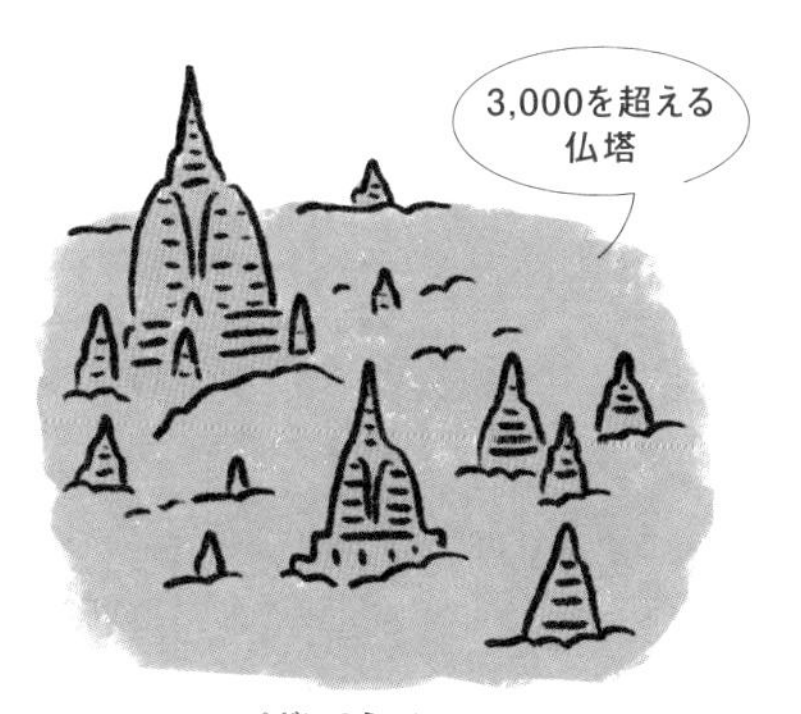

パガン＠ミャンマー

マラッカを起点に島嶼部に浸透したイスラム教

14世紀末にマラッカ海峡の覇権を握ったマラッカ王国は、マレーシアの原形です。イスラム教に改宗することで中東の商人との関係を深め、交易で港湾都市を繁栄させます。マラッカを拠点にジャワ島やスマトラ島にもイスラム教が伝播。同時にマレー語も広がっていきます。

POINT 2

歴史（大航海時代）

大航海時代に始まった空前の交易ブーム

15世紀より始まった大航海時代、ポルトガルとスペインは、ヨーロッパで需要が高まっていた香辛料を求めて、アジアを目指します。

ポルトガルはアフリカ南端を経るルートで1509年にマラッカに到達。**スペインは太平洋を経るルートで1521年にフィリピンに到達**しました。ヨーロッパ人が直接アジアで交易を開始し、アメリカ大陸を含む国際交易

マゼランが到達したフィリピン

コロンブスの発見によりアメリカ大陸の存在を知ったスペインのマゼランは、さらに大陸を越え、太平洋を横断してフィリピンに到達します。当時のフィリピンは他の地域と異なり、まだ大きな国が存在しない社会。マゼランは、フィリピン現地の支配者との争いで死亡します。その後、スペインはフィリピンを植民地化。フィリピンにキリスト教が根付いたのはそのためで、フィリピンという名もスペイン国王フェリペ2世にちなむものです。

日本も参入、各国の品々が飛び交う港

イスラム、ヨーロッパ、インド、中国が東南アジアで交易したこの時代、江戸幕府が成立した日本も、交易に参入しました。初代将軍・徳川家康は、利益を求めて朱印船貿易を促進。多くの日本人が渡航したことで、アユタヤ、プノンペン、マニラなどには、日本人町が形成されます。

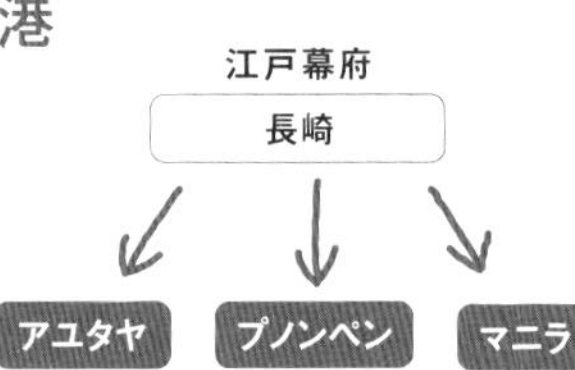

ネットワークが生まれます。「大交易時代」とも呼ばれる15～17世紀、**世界中の商人が東南アジアに集まる**ようになるのです。

寄港地には、アメリカ大陸や日本の銀、中国の絹、インドの綿布などが集まります。これらを中継貿易しながら、島嶼部は香辛料、大陸部は米などを輸出し、**各地の王朝が繁栄**しました。それぞれの王国は、領地権力争いを展開、対立や統合を繰り返しながらめまぐるしく興亡し、植民地時代に続いていきます。

王朝交代が続いた大陸部

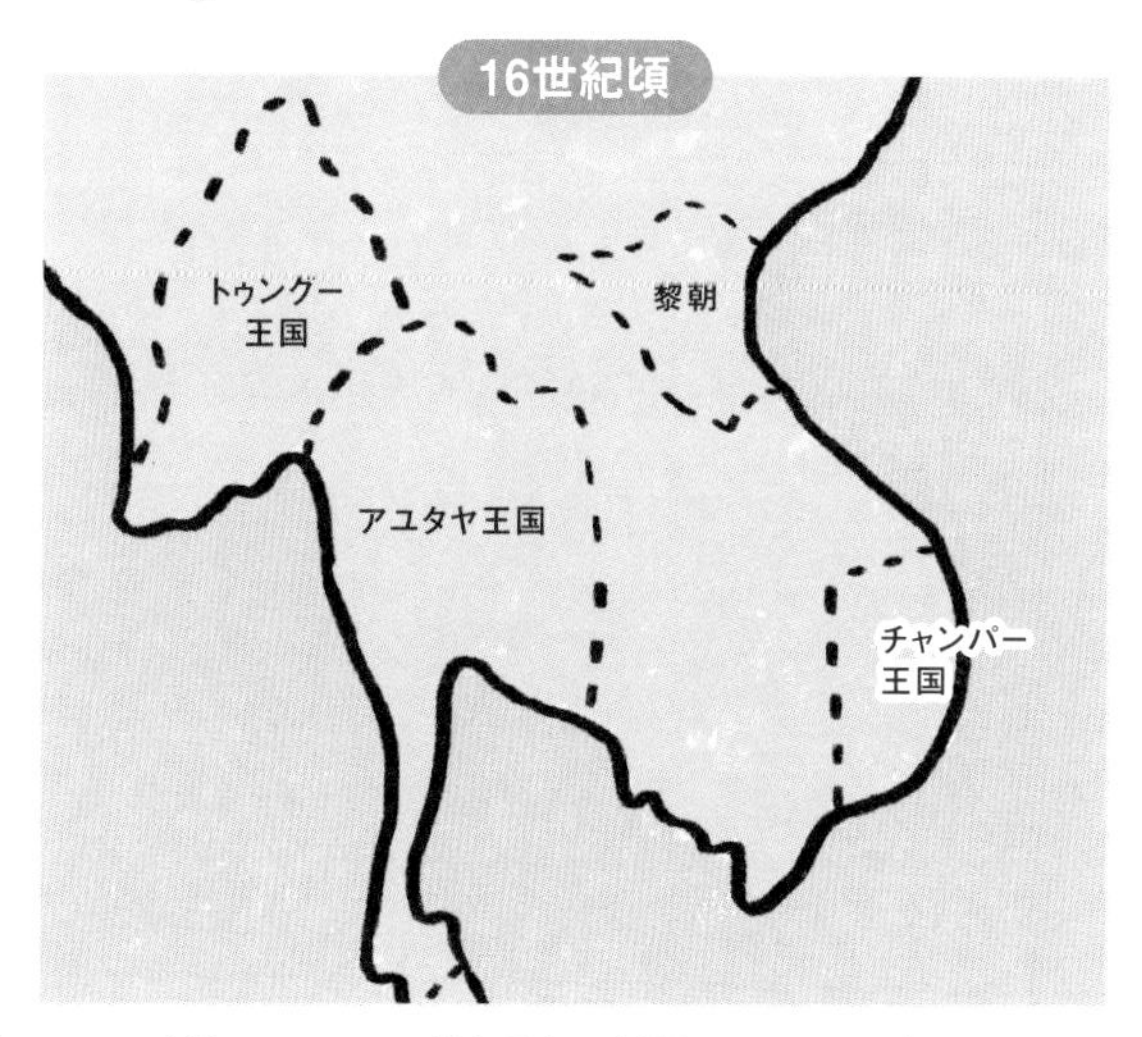

タイではスコータイ朝やアンコール朝を吸収・征服したアユタヤ朝が、ミャンマーでは、パガン朝崩壊後の混乱を16世紀にまとめたトゥングー朝が繁栄します。トゥングー朝に替わってミャンマーを統一したコンバウン朝により、アユタヤ朝は滅亡。その後タイで1782年に成立したラタナコーシン朝は、今日まで続く王朝です。

明から支配されていたベトナムを解放し、全土を統一した黎(れい)朝は、16世紀になると南北に分裂します。北部の阮(グエン)朝は、1786年にベトナムを再び統一し、ラオス、カンボジアの利害を巡ってラタナコーシン朝と対立。以後、ラオス、カンボジアには、大きな王朝が生まれないまま、植民地時代を迎えます。

POINT 3

歴史（植民地時代）

近代に入り、欧米の植民地分割が激化

17世紀後半、明の滅亡、日本の鎖国、スペイン、ポルトガルの衰退などにより交易ブームは下火になります。こうした中、東インド会社を設立して、アジア交易に乗り出したのがオランダとイギリスです。**オランダ**は、香辛料の産地・モルッカ諸島、スマトラ島（インドネシア）、長崎など次々と拠点を築き、香辛料貿易を独占。さらにジャワ島のマタラム王国を支配し、

東南アジアへの侵略と統治

産業革命を経て国力をつけた帝国主義の欧米は、東南アジアを植民地として分割・領有しました。マラッカ海峡では、先に領有を進めていたオランダとシンガポールを得たイギリスが対立し、1824年の英蘭条約によって海峡の東西で領土を分割します。1898年には、米西戦争に勝利した新興国のアメリカが、スペインに替わってフィリピンの支配を開始。ティモール島の東部がポルトガル領になったことは、東ティモール独立の遠因になっています。

国名	植民地化	宗主国
東ティモール	1511年	ポルトガル
インドネシア	1602年	オランダ
マレーシア	1511年	ポルトガル
	1824年	イギリス
シンガポール	1824年	イギリス
ミャンマー	1886年	イギリス
ブルネイ	1888年	イギリス
カンボジア	1863年（フランスとの保護条約）	フランス
ベトナム	1885年（天津条約）	フランス
ラオス	1893年（フランスとタイによる条約）	フランス
フィリピン	1565年	スペイン
	1898年	アメリカ
タイ	独立維持	—

広大なインドネシアを手にします。一方の**イギリス**は、マラッカとシンガポールを領有。マレー半島にマレー連合州を形成し、ブルネイを含むカリマンタン北部を治め、現在のマレーシアを支配下に置きます。ミャンマーのコンバウン朝もイギリスに敗北し、領有化されてしまいます。

フランスは、ベトナムの阮朝を支配。さらにカンボジア、ラオスを手にし、仏領インドシナ連邦を成立させます。こうして東南アジアの大部分は、19世紀までに**欧米の植民地として分割統治**されたのです。

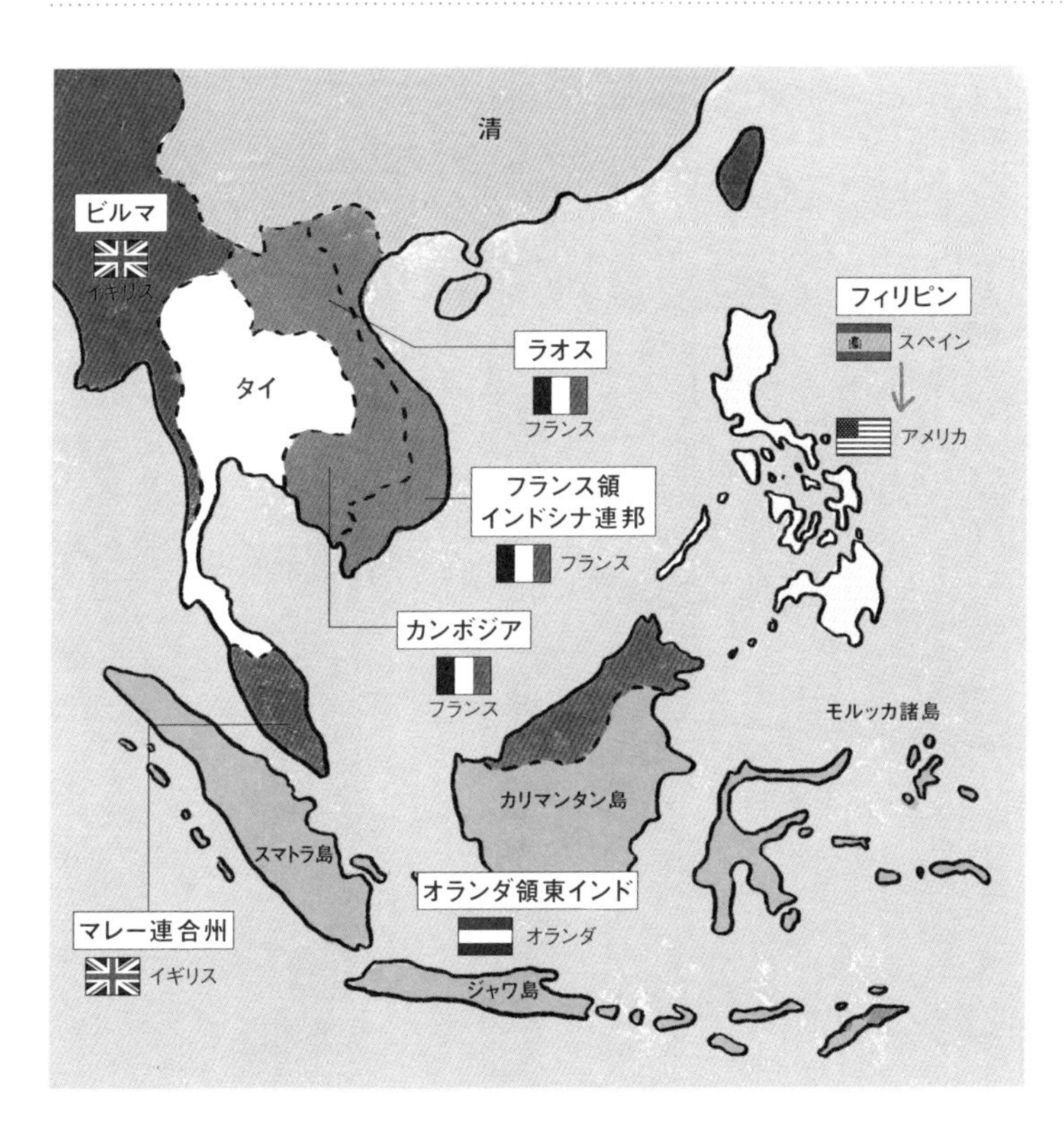

Politics&History 07 Southeast Asia

日本の侵略を経て自立へ向かう国々

第二次世界大戦中、東南アジアは日本軍によって占領されていきます。
そして戦後、長年続いた植民地支配から独立していくのです。

20世紀
POINT
1

英雄か？ 悪魔か？ 太平洋戦争下の日本軍

欧米に植民地化された東南アジアを解放しようと、日本軍が「大東亜共栄圏」を掲げて侵攻し、太平洋戦争が始まります。しかし日本の本当の狙いは、石油など、資源の確保だったのです。

20世紀

POINT 2

日本敗戦

独立に向けて立ち上がる各国のリーダーたち

日本や欧米からの独立を目指し、
各国には若きリーダーが登場します。
敗戦により日本軍が撤退すると、
各国は次々と独立を達成。
それぞれの現代史が
スタートするのです。

3章へ続く

POINT 1

歴史（太平洋戦争）

英雄か？　悪魔か？　太平洋戦争下の日本軍

植民地化された東南アジアでは、西洋式の近代教育を受けた現地の知識層の中から、**欧米からの独立**を目指す指導者が誕生。民族運動に発展します。

一方、**唯一植民地支配を免れたタイは、自力で近代化**を進めます。アジアにおいて、同じく自力での近代化に成功した日本は、やがて軍国主義に。東アジアに勢力を拡張し、日中戦争を始めます。アメリ

高鳴り始める反植民地運動

1873年、スマトラ島のアチェ王国では、オランダの侵略に抵抗しアチェ戦争が発生。アチェは敗れ、オランダに編入されます。1899年には、フィリピンがアメリカからの独立を求めて米比戦争を起こし、アメリカは1934年、10年後の独立を約束します。

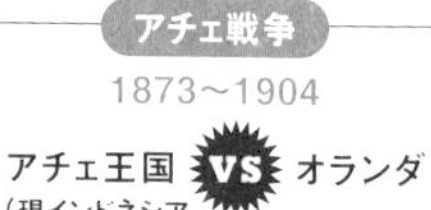

植民地支配を受けなかったタイ

イギリス領ビルマ（ミャンマー）と仏領インドシナの間に位置したタイは、両国の緩衝帯として植民地化を免れました。ラーマ5世の「チャクリー改革」によって近代化を推進した後、若い官僚・軍人らが人民党を結成して立憲革命を起こし、1932年に立憲君主制へと移行しました。

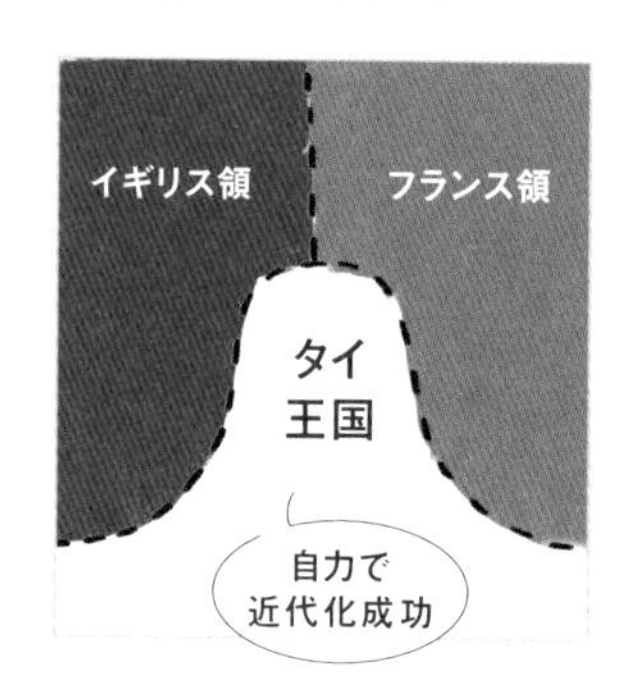

カによる石油輸出の全面禁止などにより、石油などの資源が不足した日本は、植民地支配からの解放と大東亜共栄圏の建設を掲げ、東南アジアに侵攻。タイを除く全ての国を占領・進駐し、**東南アジアは太平洋戦争の激戦地**と化しました。現地では日本式の教育や文化が強要され、労働力の搾取、食糧の独占、さらには虐殺などが発生。**ベトナムやミャンマー、フィリピンでは抗日運動**が起こります。1945年、連合軍に敗れた日本は、東南アジアから撤退しました。

日米激戦の舞台となったフィリピン

1941年12月8日、日本軍は真珠湾攻撃と同時にマレー半島に上陸し、太平洋戦争が開戦します。翌年フィリピンに上陸した日本は、アメリカ軍を掃討し、フィリピンを独立させますが、もともとアメリカから独立を約束されていたこともあり、現地では抗日デモが発生。その後、マッカーサー率いるアメリカ軍が帰還して、激戦の末に日本を放逐します。

マッカーサー

日本軍に翻弄されたビルマ

日中戦争を戦っていた蒋介石（しょうかいせき）率いる中国に対し、イギリスは物資を支援していました。日本はこの「援蒋（えんしょう）ルート」を断ち切ろうと、1942年にミャンマー（ビルマ）に侵攻、イギリス軍を駆逐。翌年にはビルマ国を建国させ、1944年3月、イギリス軍の拠点を狙った「インパール作戦」を開始します。しかし作戦は大失敗、ミャンマーは再びイギリスに攻め込まれます。

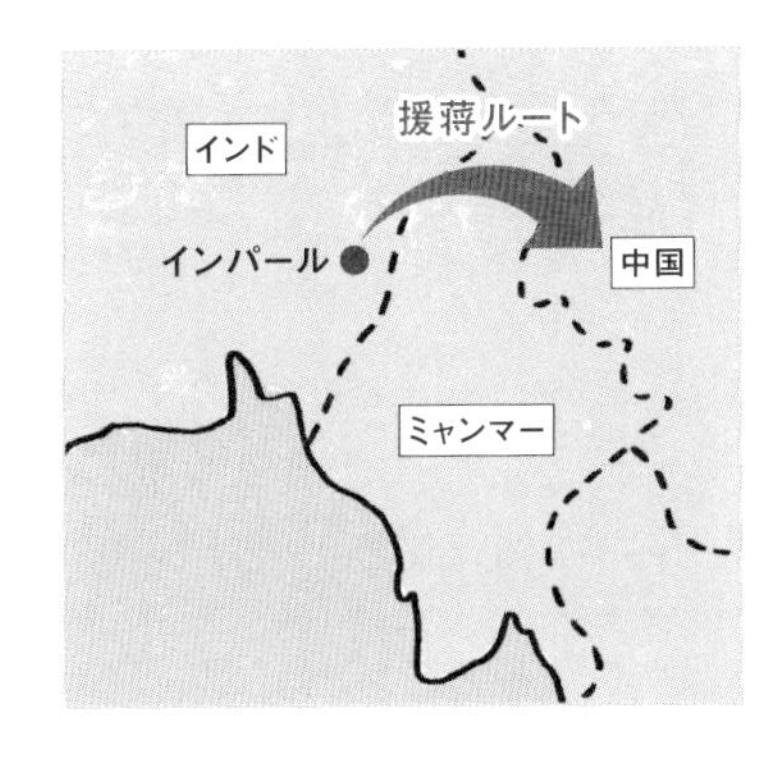

POINT 2

歴史（各国の独立）

独立に向け立ち上がる各国のリーダーたち

20世紀前半、東南アジアの若き民族主義者たちが、独立運動を展開しました。各国の独立のタイプは大きく二つに分けられます。第一のグループは、インドネシア、ベトナム、フィリピン、ミャンマー。太平洋戦争前から独立運動が展開されており、独立後の政治の担い手がいた国々が、早期に独立を実現しました。第二のグループは、カンボジア、ラオス、マレー

植民地からの独立における各国の特徴

国名	独立	宗主国
インドネシア	1945年8月	オランダ（共和国としての独立は1949年）
ベトナム	1945年9月	フランス（フランスは独立認めず）
フィリピン	1946年7月	アメリカ
ミャンマー	1948年1月	イギリス
ラオス	1953年10月	フランス
カンボジア	1953年11月	フランス
マレーシア	1957年8月	イギリス
シンガポール	1965年8月	イギリス／マラヤ連邦（マラヤ連邦として1957年にイギリスから独立）
ブルネイ	1984年1月	イギリス
東ティモール	2002年5月	ポルトガル／インドネシア（1974年に独立容認も、76年にインドネシアが併合）

インドネシアでは1927年、スカルノがインドネシア国民党を結成。日本軍が1942年にオランダ軍を駆逐、スカルノに協力し、1945年に独立します。ベトナムのホー・チ・ミンは1930年にインドシナ共産党を組織。日本とフランスの打倒を掲げて運動し、1945年の日本敗戦直後に独立を宣言します。1953年には、カンボジアとラオスもフランスから独立。ミャンマーでは、アウン・サンが抗日闘争を展開、日本敗戦後は再びイギリスと戦い、1948年に独立します。1957年にはマラヤ連邦がイギリスから独立。マレーシア連邦が生まれました。

シアで、宗主国の独立容認が遅れ、1950年代以降に独立します。独立したマレーシア連邦からは、さらにシンガポールが分離。一方、石油収入がマラヤ連邦に移管されるのを懸念したブルネイは連邦に参加せず、イギリスの自治領を経て、1984年に独立します。

しかし、ベトナムの独立宣言については、フランスが承認せず、第一次インドシナ戦争が発生。ここに**東西冷戦が影響し、ベトナムは南北に分断**されるのです。

インドシナ戦争と東西冷戦

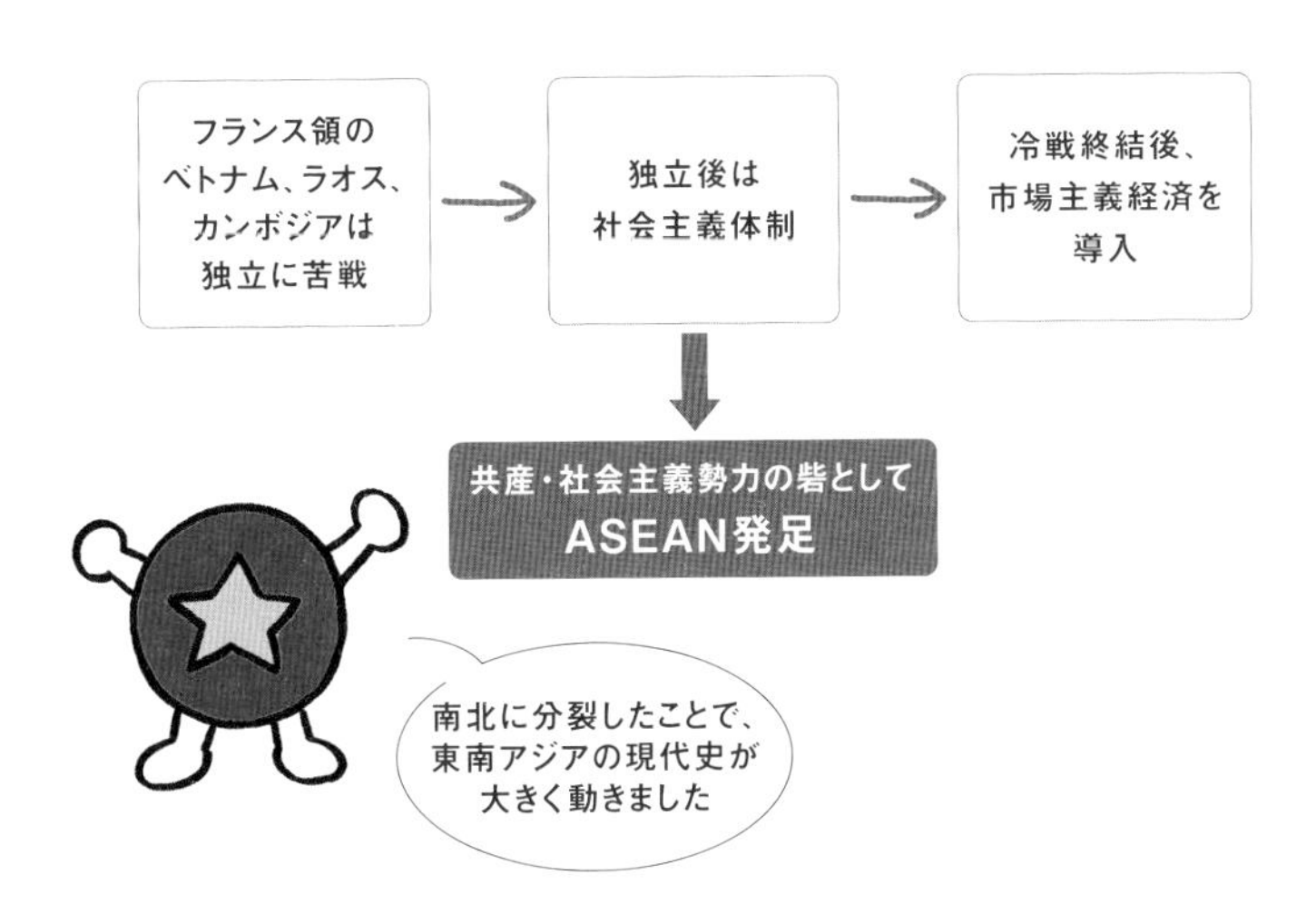

第一次インドシナ戦争中、フランスは阮朝最後の皇帝を元首に、傀儡となるベトナム国（南ベトナム）を建国。ホー・チ・ミンが独立を宣言したベトナム民主共和国（北ベトナム）と戦います。南ベトナムの敗北により、1954年にジュネーブ休戦協定が結ばれますが、共産ドミノを恐れたアメリカは、南ベトナムでクーデターを起こしベトナム共和国を樹立させます。ベトナムの分断は、その後のベトナム戦争（P120）やASEANの発足（P76）、カンボジアの歴史（P126）にも影響していくのです。

21世紀に深刻化する自然の猛威との戦い

東南アジアでは、その特異な地理的条件により、自然災害が多発しています。
そして2020年、新型コロナウイルスが各国を襲うのです。

POINT 1

社会に甚大な被害を及ぼす地震、洪水、台風

東南アジアでは、洪水、地震、台風、火山噴火など、あらゆる自然災害が発生します。社会が機能不全に陥ることもあり、被災国以外にも影響を及ぼします。

＼ POINT ／

2

新型コロナウイルスと見直されるサプライチェーン

2020年より猛威を振るう
新型コロナウイルスは、東南アジアにも
甚大な被害をもたらしました。
サプライチェーンの不全も起こり、
国際経済の構造が
見直され始めています。

POINT 1

災害

地震、洪水、台風
社会に甚大な被害を及ぼす

東南アジアは、あらゆる災害リスクにさらされています。地震は特にインドネシアで多く、**2004年のスマトラ島沖大地震**は、津波の発生もあり、被災者120万人という未曾有の被害をもたらしました。島嶼部には火山島が多く、2006年にはフィリピンのマヨン火山が噴火。こうした火山噴火は、火山灰によって空港や通信基地などインフラが機能不全に

地震多発エリア・インドネシアの被害

インドネシアでは、ジャワ島、スマトラ島を震源地とした地震が高頻度で発生しており、経済成長を停滞させるリスクになっています。2004年のスマトラ島沖大地震は、マグニチュード9.0と推定され、1900年以降世界で4番目に大きな地震です。インド洋に津波も発生させ、タイやマレーシア、インド洋、アフリカにまで被害が広がりました。

2004年
スマトラ島沖大地震・インド洋津波
死者 23万人

2006年
ジャワ島中部地震
死者 6000人

2009年
スマトラ島沖地震
死者 1200人

熱帯低気圧がもたらすさまざまな災害

日本も度々被害を受ける強い熱帯低気圧は、インド洋や南太平洋ではサイクロン、北太平洋西部では台風(タイフーン)と呼称されます。東南アジアの熱帯低気圧は、暴風雨や高潮のみならず、洪水や火山泥流出などの二次被害が発生することもあります。

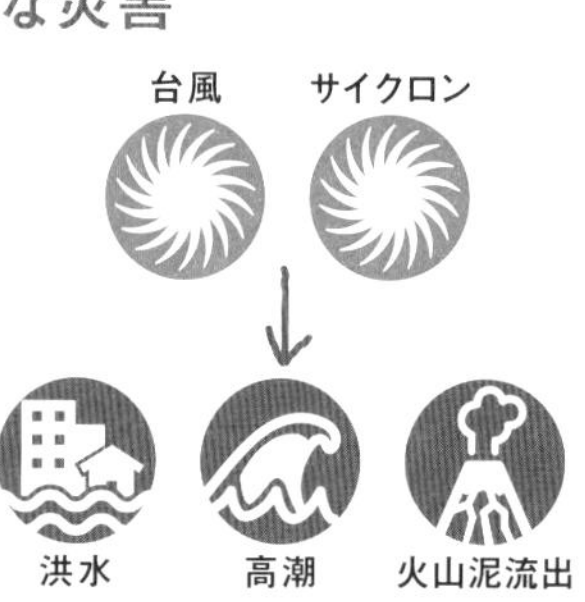

陥るリスクがあります。

　2011年のタイの大洪水では、七つの工業団地が水没し部品の供給ができず、世界中で多くの工場が影響を受けました。2008年に**ミャンマー南部を襲ったサイクロン・ナルギス**は、洪水によってコメを中心にした農業にも影響しました。

　東南アジアの災害は、周辺国にも被害が広がり、インフラが脆弱な国ほど深刻化することも特徴です。**地球規模の気候変動**への対処は国際社会の新たな課題になっています。

変動する地球環境と新たなる課題

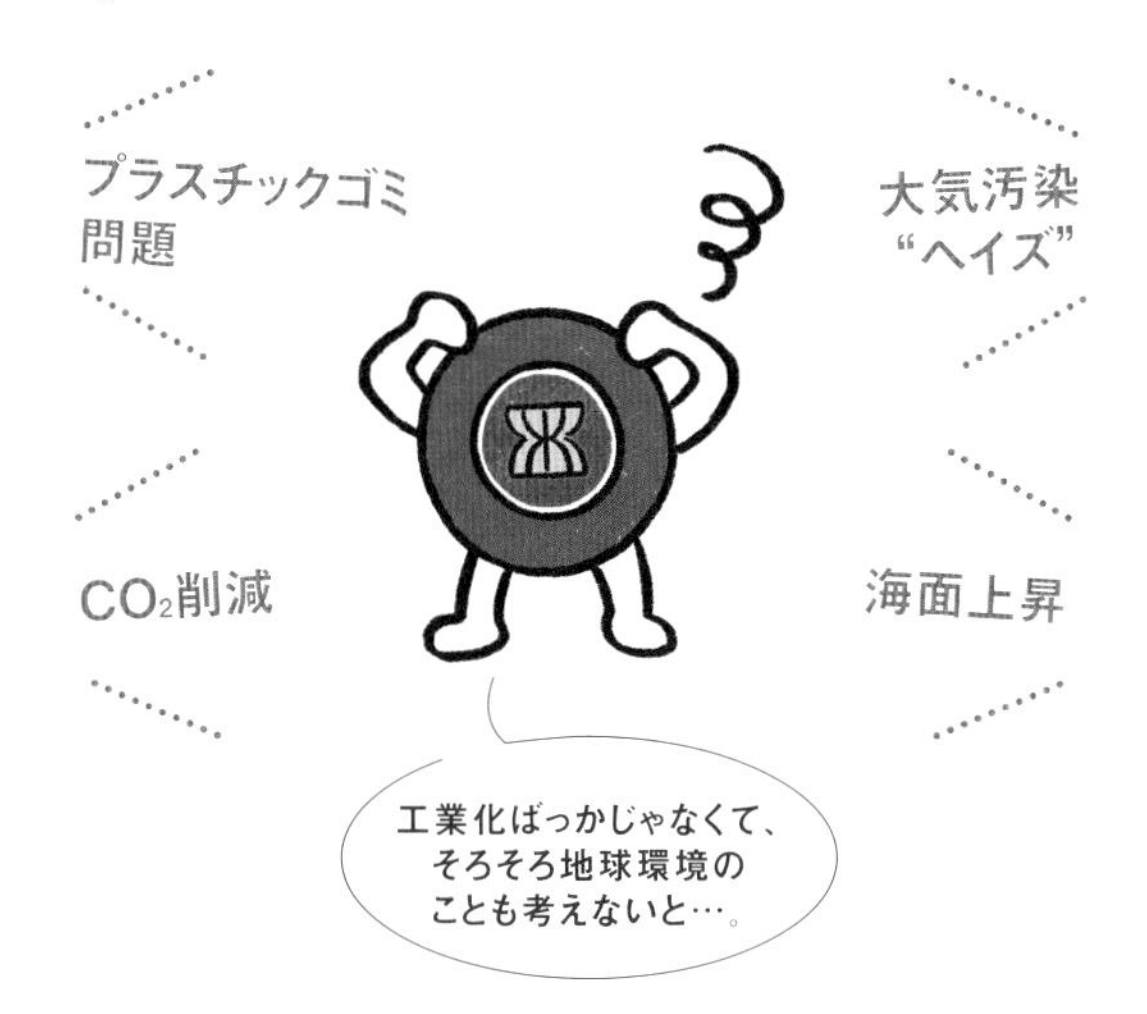

地球規模の気候の変動は21世紀最大の問題の一つです。東南アジアでは、温暖化による海面上昇の被害が顕著で、過去50年で12cm上昇した地域もあり、土地を失う人も出ています。インドネシアで伝統的な焼畑農業が原因とされる煙霧「ヘイズ」は、国境を越えてシンガポールなどで問題になっています。プラスチックごみの海洋流出も多く、国際社会から流出源と批判を受けるほかにも、CO_2排出や土壌汚染など、工業化による弊害も生じています。東南アジアでビジネスを行うときは、自然災害のリスク管理と同時に、環境への配慮も求められます。

POINT 2

新型コロナウイルス

新型コロナウイルスと見直されるサプライチェーン

新型コロナウイルス感染症の拡大を受け、各国は次々と入国制限・行動制限などを発動。社会活動を停止しました。労働者などの域内移動が多い東南アジアでは、社会活動の再開が感染拡大につながるリスクがあり、医療水準が低い国も多いため、ASEANによる域内協力が課題となっています。

新型コロナウイルスにおける行動規制は、経済にも大き

見直されるサプライチェーン

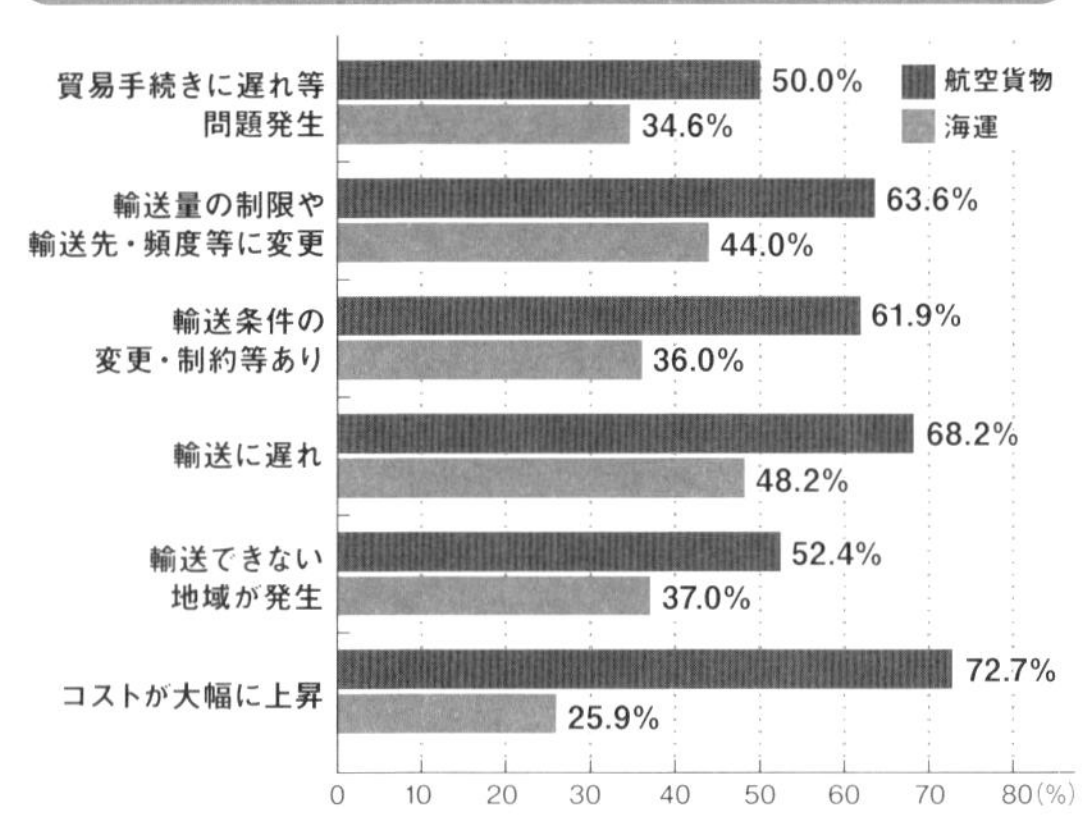

新型コロナウイルスの物流・サプライチェーンにおける影響

	航空貨物	海運
貿易手続きに遅れ等問題発生	50.0%	34.6%
輸送量の制限や輸送先・頻度等に変更	63.6%	44.0%
輸送条件の変更・制約等あり	61.9%	36.0%
輸送に遅れ	68.2%	48.2%
輸送できない地域が発生	52.4%	37.0%
コストが大幅に上昇	72.7%	25.9%

日本ロジスティクス・システム協会「新型コロナウイルス感染症（COVID-19）の拡大による物流・サプライチェーンへの影響について」（2020年6月30日）より

新型コロナウイルスは、部品の製造だけでなく、物流にも大きな影響を与えました。これまで部品の一極集中生産によるコスト削減を重視していたグローバルサプライチェーンの潮流が、タイ洪水やコロナ禍により、製造拠点を分散させる方向に見直されています。また、中国は賃金上昇や政治的なリスクもあり、工場を分散させる「チャイナ・プラスワン」が、さらに加速されるでしょう。

な影響を及ぼしました。東南アジアはグローバルサプライチェーンにも組み込まれているため、外資企業も直接的または間接的に影響を受けています。こうしたリスクを考慮し、今後諸外国では生産や調達を分散させる動きが出ています。外資企業による**サプライチェーンの見直し**と、米中貿易摩擦の影響によるチャイナ・プラスワン（P62）が進むでしょう。さらに**デジタル化の推進**や物流網の強靱化が進めば、東南アジアにとってチャンスとなる可能性もあります。

在ASEAN企業の事業戦略・ビジネス戦略の見直し

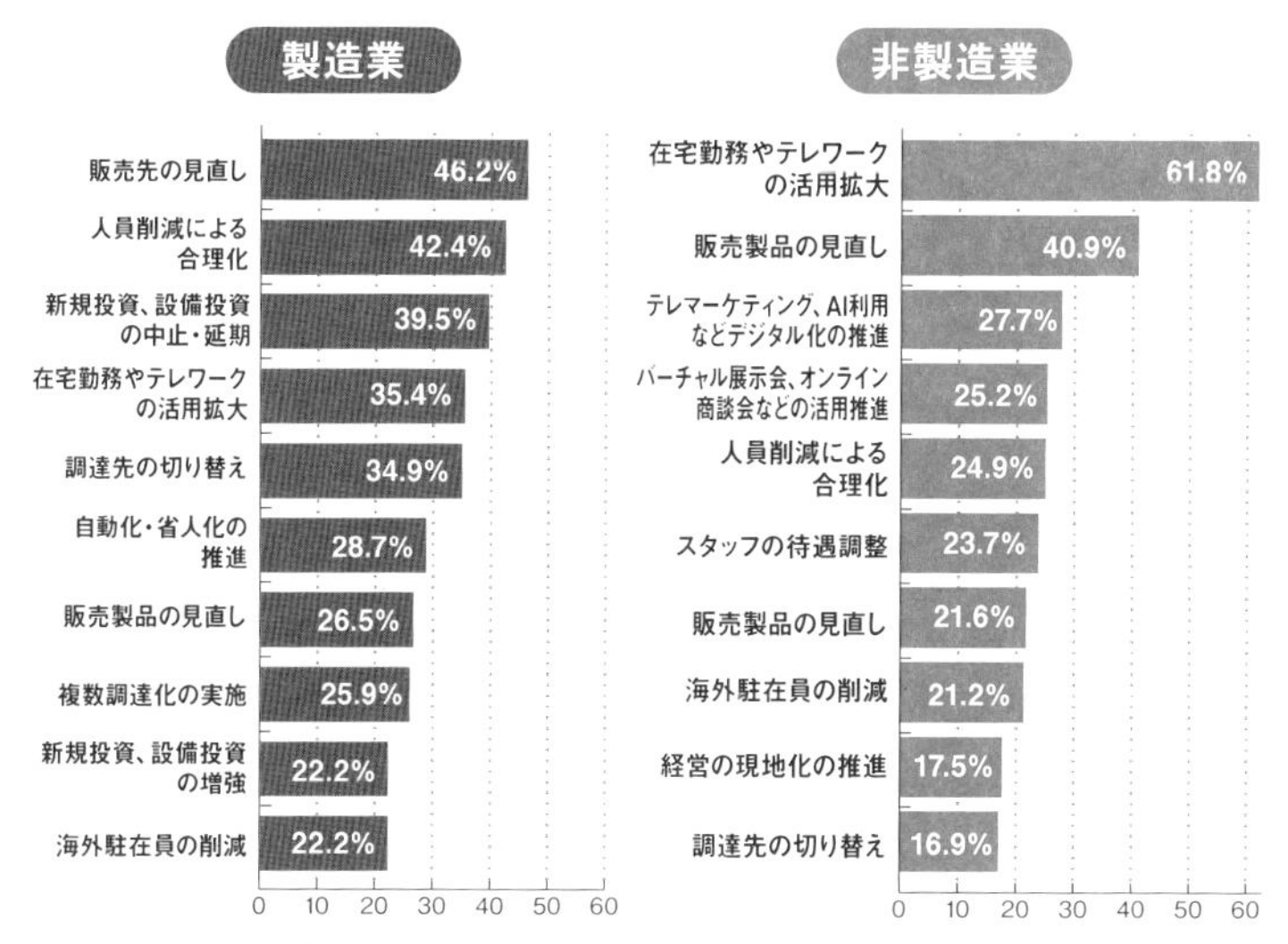

ジェトロ「2020年度 海外進出日系企業実態調査アジアオセアニア編」より

東南アジアに進出する日本企業について、新型コロナウイルスの影響における事業戦略やビジネスモデルの見直しの内容を見ると、製造業では人件費や設備費投資を中心としたコスト削減が、非製造業ではテレワークやAI導入などのデジタル化への対応が、それぞれ急務となっています。バーチャル展示会、オンライン商談会など、新たなビジネススタイルが、東南アジアでも徐々に定着していくでしょう。

東南アジアの展望と課題

グローバル化、デジタル化、ウィズコロナなど、変化が加速する世界の中で、東南アジアはどのような未来を迎えるのでしょうか。

人口が伸びる国と少子化が進む国に二分

若い人が多いイメージの東南アジアですが、**シンガポールやタイでは少子高齢化が加速し**、ベトナムやマレーシアでも進行し始めます。一方で、**インドネシア、ミャンマー、フィリピン、カンボジア、ラオスは高い出生数**に支えられており、今後10年で人口が10%増えると予測されます。

一体化に向かうが、EUのようにはならない

ASEANは、方針の変更自体に全会一致が必要であるため、**原則や構造は今後も大きく変わらない**と考えられます。経済水準の高いシンガポールのような国が、低い国々に目線を合わせるシステムは民主的ですが、水準の差は東ティモールの加入に対して消極的になる原因でもあります。

中国に加え、インドの影響が強まる

中国の大国化はますます顕著になっていくでしょう。加えて、今後は総人口が中国に次いで多いインドの成長も進みます。2カ国と隣接し、**RCEPやFTA（P82）を通じて連携を図る東南アジアは、経済的には有利**です。ただし大国に左右されない外交力が求められます。

総まとめ
東南アジア未来予測

中間層が増え、内需がますます拡大

6.6億人の人口を抱える東南アジアで、**中間層が厚みを増すことは間違いなく、内需はますます拡大**します。外資からの投資が増えるとともに、域内経済連携による活性化も期待でき、自立した経済構造を構築できれば、ますます力強い地域になるでしょう。

後発国が飛躍的に成長

各国が発展段階や時代に合わせた経済活動を進めることが課題ですが、全体としてはこれからも成長を続けるでしょう。工業化が始まって日が浅い**後発加盟国は発展を大いに期待**でき、各国間の格差は徐々に縮まっていくと予測されます。

持続可能な開発に向き合えるかが課題

新興国は概して環境問題に関心が薄い傾向がありますが、**グローバルスタンダードに適合しないことは政治・経済での孤立を招き、企業は投資先として不適格と見なされる懸念**があります。特にASEANは人口が多いため、国際社会からの要求も強くなっていくでしょう。

経済の相互依存が高まれば紛争も減少

対立や紛争は、経済の相互依存度が高まるほど減少するといわれます。東南アジアには領有権問題など国家間の利害対立が残っていますが、先進国が後発国を援助し、成長した国との貿易を活発化するなど、**域内で相互に助け合うことができれば、より友好的な地域に**なります。

助川教授の東南アジア・コラム

03

日本人が気をつけたい、東南アジアの現地トラブル

東南アジアに出張･駐在した立場から、実際に見聞き、経験した、現地で起こるトラブルのエピソードを紹介します。

日本人がまず注意しなければならないのは食事です。街中には屋台が立ち並び、そのエキゾチックな情景に食欲をそそられますが、灼熱の中、ガラスケースに陳列される食材は、特別な加工により保存されていることが多いともいわれ、腹痛に襲われる場合も。日本の薬では痛みが引かない場合もあり、万が一の場合は現地の薬を購入すると良いでしょう。

レストランにおけるトラブルも多いです。気をつけたいのは現地の方との会食での、宗教の違い。イスラム教の戒律はもちろんですが、仏教であっても日本とは異なり、一部では牛肉を食べない、飲酒をしないなどの教義を持つ宗派があります。また、レストランでは盗難も注意です。私もタイで食事をしていた際、親族がスリに遭いました。犯人はなんとウェイトレス。メニューで自分の手を隠しながら財布を盗むという、大胆な手法だったのです。盗難リスクは日本より高いため、私は財布は持ち歩かず、必要な現金だけを所持するようにしていました。

また、タイなどの仏教国では、目上の人に迷惑をかけないという思考で、トラブルが深刻化することがあります。例えば、何か不都合な事態が起こっても、日本での“悪い知らせほど早く伝える”はありません。第一に、上司を困らせたくないと考えます。取り返しがつかない状況になって初めて問題を報告されるので、心の準備を(笑)。

第3章

Circumstances of each country in Southeast Asia

東南アジアの各国事情

東南アジアの全体像をつかんだところで、11ヵ国を個別に巡っていきます。現代のリアルな姿とそのバックグラウンドを、ポイントを整理して理解していきましょう。

Keywords

#ベトナム戦争　#ホー・チ・ミン　#ドイモイ　#ポル・ポト
#シハヌークビル　#東南アジアのバッテリー　#水力発電
#軍事クーデター　#タイランド4.0　#民主化デモ
#アウン・サン・スー・チー　#ロヒンギャ難民　#NLD　#開発独裁
#ブミプトラ　#サイバージャヤ　#リー・クアンユー　#監視社会
#世界一裕福な王室　#アキノ　#ドゥテルテ　#BPO事業
#言語統一　#高速鉄道　#スカルノ　#オブザーバー

01 ベトナム事情

発展を支える ベトナム戦争勝利の誇り

Before

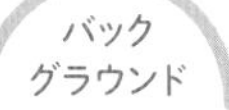

ベトナム戦争に勝利 自尊心がアップ

第二次世界大戦後、ベトナムは南北に分裂。社会主義と資本主義が真っ二つになります。このことが原因となり、ベトナム戦争が発生。15年にわたる激戦の末、資本主義陣営のアメリカに勝利したことは、ベトナム人の大きな誇りです。

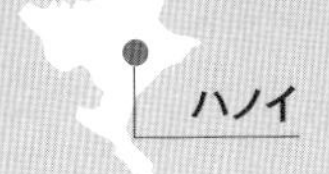

ベトナム社会主義共和国

人口	約9,650万人	面積	33万1,230k㎡
首都	ハノイ	首都人口	約840万人
政治体制	社会主義共和制	名目GDP	約3,300億ドル
一人当たりGDP	約3,400ドル	GDP成長率	7.7%

After

1 実際今は?

“ドイモイ”の結果、経済は急成長

ベトナム戦争後、社会主義国家として歩み出したベトナムは、1986年に市場主義経済を導入。ドイモイ(「刷新」という意味)と呼ばれるこの政策により、90年代から現在に至るまで、成長を続けています。

2 一方で…

中国とギスギスの関係にある共産党独裁体制

市場経済を導入しつつ、政治体制としては社会主義を採用するベトナム。共産党が一党独裁する構造は中国と似ていますが、ベトナム戦争後の1979年、中越戦争が勃発するなど、両国の仲は決して良いわけではありません。

ベトナムのバックグラウンド

ベトナム戦争に勝利 自尊心がアップ

第一次インドシナ戦争（P107）でフランスが敗退した後、替わって介入したアメリカは、1964年、駆逐艦が**北ベトナム（ベトナム民主共和国）**海軍から魚雷攻撃を受けたと主張（トンキン湾事件）、**ベトナム戦争**が起こります。アメリカは50万人規模の軍を投入しましたが、1975年に拠点のサイゴンが陥落。南ベトナムは崩壊し、南北が統一されます。

国民的英雄ホー・チ・ミン

北ベトナム（ベトナム民主共和国）を建国したホー・チ・ミンは、若い頃にフランスで共産主義に出会い、香港でベトナム共産党を結成。太平洋戦争中は日本とフランスに抵抗し、独立後は大統領として南ベトナムと戦い、南北統一を目指しました。「ホーおじさん」として国民から愛されています。

社会主義
ロシア
中国
北ベトナム
北緯17度線
VS
自由主義
アメリカ
南ベトナム

ベトナム戦争は東西陣営の代理戦争

ベトナム戦争中、ソ連と中国は社会主義国家であった北ベトナムを支援。一方の南ベトナムにはアメリカのほか、韓国やタイの派遣軍も加わります。南北ベトナムの内戦が国際戦争に発展し、200万人を超える人が犠牲になりました。アメリカは南ベトナム解放民族戦線への反撃に対する世界的な反戦運動を受けて撤退します。アメリカの唯一の敗戦です。

ベトナムのリアル 1

"ドイモイ"の結果、経済は急成長

統一後のベトナムは、社会主義国家として歩み始めました。一方、1980年代後半になると、東西冷戦が収束ムードに。そこでベトナムは1986年、市場主義経済導入などの「ドイモイ」という改革路線を打ち出します。海外からの投資が活発化し、輸出が伸長したことで、**1990年代以降は経済が急成長**。**日本も積極的に援助をしてきました。**

近年の成長率は東南アジアトップ

ドイモイで外国企業の100%投資を認める外国投資法が制定されたことで、ベトナムは外資主導の輸出拡大で経済を成長させています。現在、一人当たりのGDPは約3,400ドルで1990年の20倍に。コロナ禍の2020年においてもGDP成長率は2.9%とプラス成長を維持、東南アジアでナンバー1の成長を見せています。

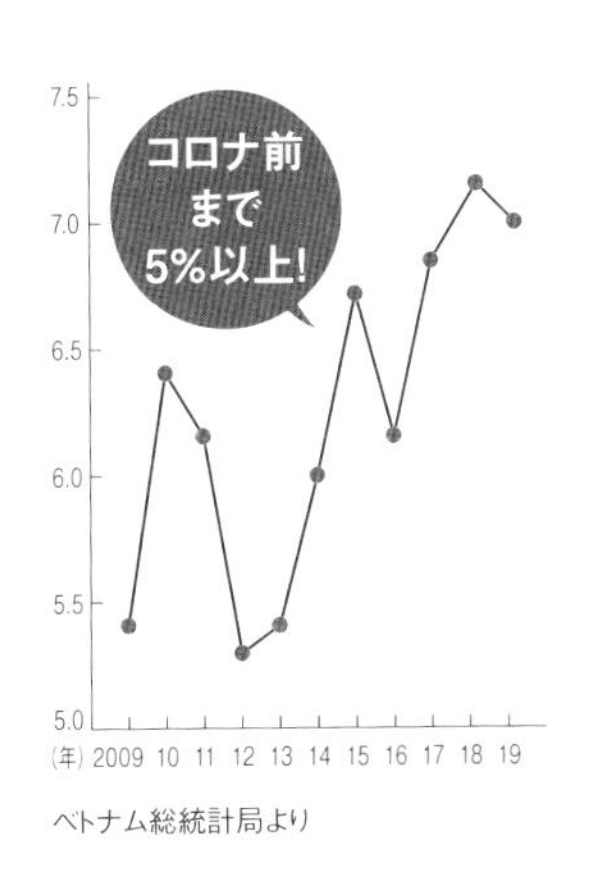

ベトナム総統計局より

ODAは日本が最大の援助国

日本とベトナムの関係は非常に良好。1990年代初頭から積極的に援助をしてきた日本は、ほぼ毎年最大の援助国になっています。日本企業も次々と進出した結果、ASEAN最大の進出企業数を誇り現地の雇用に貢献しています。

ベトナム
のリアル
2

中国とギスギスの関係にある共産党独裁体制

ベトナムの政党は、ベトナム共産党のみ。一党独裁の集団指導体制で、行政・司法の人事から国会議員の選挙まで、国家運営の大部分を実質的に握っており、情報統制や言論統制も行われています。しかし、国民が共産党を批判する光景はあまり見られません。デモは繰り返し侵攻を受けてきた対中国のものが多く、東南アジアの中でも**反中感情が強い国**なのです。

ベトナムと中国は昔から険悪

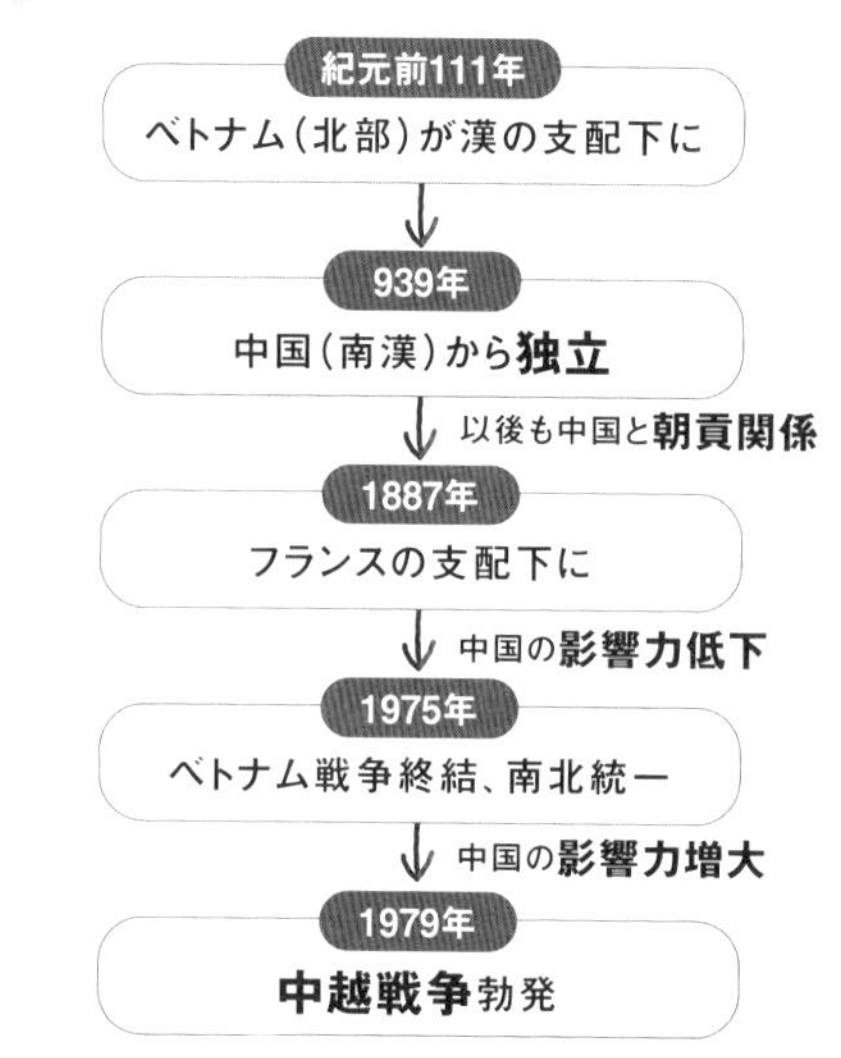

ベトナムは10世紀まで、中国の支配を受けていました。中国からの独立後も、明(みん)や清(しん)の王朝に貢物を献上して認められる「朝貢(ちょうこう)」によって関係を維持しながらも、何度も侵攻を受けています。ベトナム戦争終戦後の1979年にも、中越戦争が勃発しており、現在も南シナ海の領有権問題で対立しています。国民にとって、常に中国は仮想敵国なのです。一方、中国はベトナムの最大輸入相手国であり、共産党の一党独裁という体制も共通します。政治体制と国境を接する隣国であることから、高度な外交バランスが要求されています。

Socialist Republic of Vietnam

ベトナム国民 ここが特徴

日々の生活にコーヒーが欠かせない

ベトナムは、世界で2番目にコーヒー豆の生産量の多い国です。日本への輸出も多く、日本から見るとブラジル、コロンビア、ベトナムが輸入相手ベスト3です。ロブスタ種で、ブレンドコーヒーとして使われます。

とにかくバイクが多い街は渋滞が日常

ベトナムの国民はバイクを移動手段とすることが多く、ホーチミンなど都市部ではバイクが道路を埋め尽くすほど。信号は少なく、道路を横断するときは恐怖を感じることも。メーカーはホンダが人気で、シェアは約80%です。

世界の工場として経済を回している

ベトナムは世界の工場として機能しており、GDPに占める外資系企業の生産の割合は20%以上です。近年はサムスンにおける中国からの工場移転が顕著であるほか(P57)、日本企業の進出や生産拠点移転も目立っています。

男性以上によく働く女性

ベトナムでは男性が道ばたで日中から所在なげにコーヒーを飲んでいる光景がよく見られます。一方、女性の社会進出は顕著で、オフィス街を闊歩(かっぽ)しています。女性がよく働く光景は、東南アジアのほかの国にも見られます。

02 カンボジア 事情

カンボジアが抱える大虐殺による人材不足

Before

バック グラウンド

独裁者ポル・ポトが知識人を大量虐殺

1970年に勃発したカンボジア内戦により、国内は大混乱します。さらに毛沢東理論に感化された狂信的な共産主義者のポル・ポトが権力の座につき、170万人を超える人を虐殺。このとき、標的となったのは知識人とその家族で、学校や書物、寺院に至るまで破壊の限りを尽くしました。内戦は1991年まで続き、その後もしばらく社会は安定しませんでした。

カンボジア王国

人口 約1,650万人
首都 プノンペン
政治体制 立憲君主制
一人当たりGDP 約1,600ドル
面積 18万1,040㎢
首都人口 約200万人
名目GDP 約270億ドル
GDP成長率 7.9%

After

1 その影響で 都市と地方で広がる教育の格差

大量虐殺によって一定の世代が消え、現在、その子ども世代にあたる社会を担う40代が不足しています。さらに知識人がいなくなったことで、次世代への教育が十分にされず、識字率も低い水準です。都市部は海外からの投資により開発されていく一方で、地方との格差が広がっています。

2 今の政治は 中国を後ろ盾にするフン・セン政権

1998年に首相に就任したフン・センは、現在もトップに君臨しています。近年は野党の弾圧を強めており、これまで開発を援助してきた欧米よりも、内政に口を挟まない中国を重視する姿勢を見せています。

カンボジアのバックグラウンド

独裁者ポル・ポトが知識人を大量虐殺

1970年に発生したカンボジア内戦の動乱の中で、ポル・ポト率いるクメール・ルージュが政権を打倒します。原始共産主義を信奉するポル・ポトは、貨幣や宗教を禁止。さらに反対勢力の芽をつぶすため、知識人の強制労働や処刑、学校の破壊、書物の処分などを強行します。170〜300万人が虐殺されたといわれる**内戦は、1991年まで続きました。**

ベトナム戦争から始まったカンボジア内戦

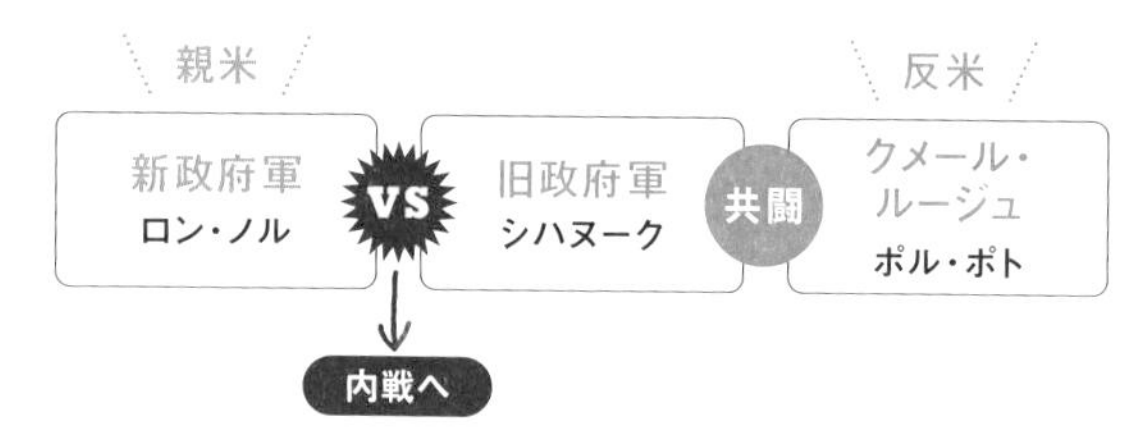

ベトナム戦争中、カンボジアは、南ベトナム解放民族戦線（P120）への物資支援ルートとなりました。ルートを阻止しようとしたアメリカの画策により、1970年に親米のロン・ノル政権がクーデターを起こし、内戦に発展。国王・シハヌークが中国に亡命します。巻き返しを図るシハヌークと共闘したのがポル・ポトです。

日本の自衛隊がPKOで派遣

1991年のパリ和平協定で、カンボジア紛争は終結。国連カンボジア暫定統治機構が始動し、明石康（あかしやすし）特別代表のもと、PKO（国連平和維持活動）が実施されます。道路の補修や物資の供給のため、日本の自衛隊も派遣されました。

カンボジアのリアル 1

都市と地方で広がる教育の格差

内戦の長期化によりカンボジアの開発は遅れましたが、国連や欧米、日本の支援により徐々に社会は回復しました。しかし、虐殺された人々の子どもにあたる世代が極端に少なく、現在、**深刻な人材不足**に悩まされています。また、内戦中に教育機能が破壊されたことで校舎や教員が不足しており、識字率は低く（P46）、**都市と地方との格差が拡大**しています。

いびつな人口ピラミッド

カンボジアでは、社会の中核を担う40歳以上の人口が不足しており、特に40代前半が少ないといういびつな人口構造になっています。都市で働き手が不足すると、企業は地方から人材を募りますが、識字率が低いため、始業前に読み書きを教える企業もあります。

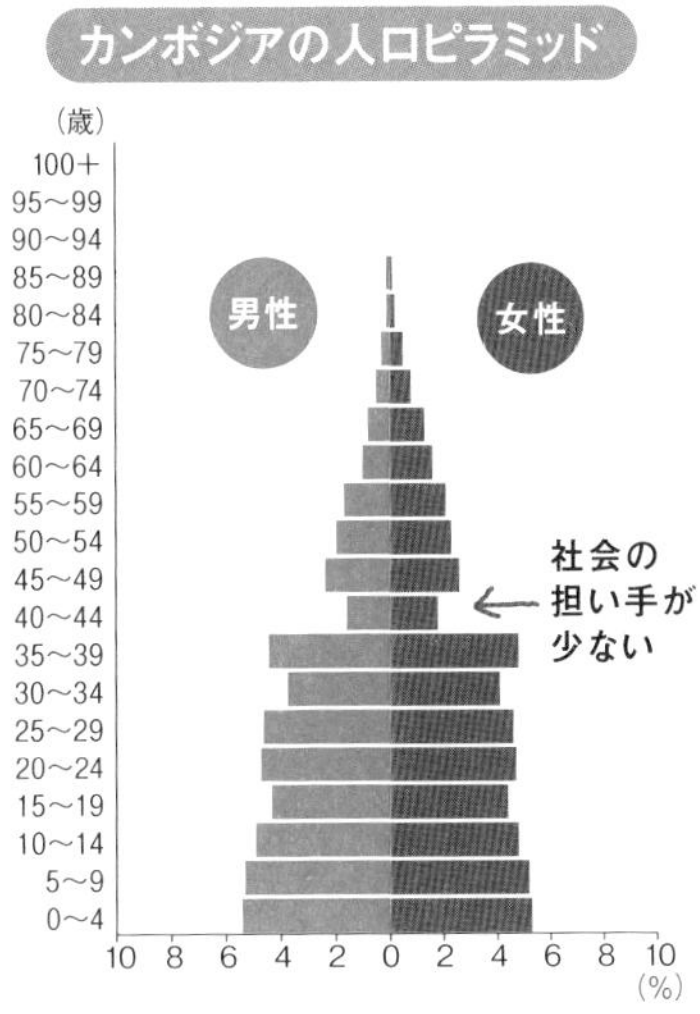

カンボジアの人口ピラミッド

Population of WORLD 2019より

都市と地方の教育の違い

学校・教師の数が不足するカンボジアでは、午前・午後の二部制授業をとる学校が多くあります。地方の貧困層の家庭では家事・労働を手伝わなければならない事情もあり、通学や学習の時間を確保できない子どもが多くいます。

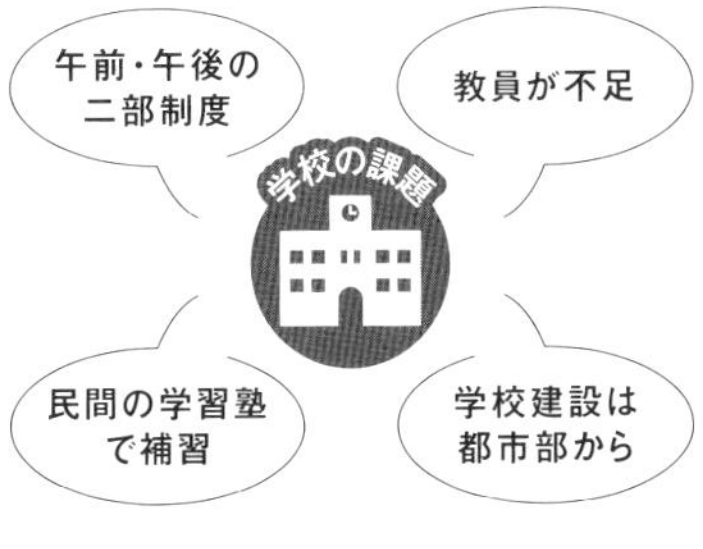

カンボジアのリアル 2

中国を後ろ盾にするフン・セン政権

1993年、カンボジア王政が復活し、シハヌークが即位。新憲法が導入されます。1998年の選挙以降は人民党による長期政権が続いており、ポル・ポト政権から離脱したフン・センがトップに君臨しています。フン・センは近年、中国寄りの姿勢（P93）を強めており、多くの**中国資本がカンボジアに投資**。また、**野党への弾圧**を強めています。

港湾都市・シハヌークビルの発展

首都のプノンペンと国内最大の港であるシハヌークビルは、現在開発ラッシュの真っ只中。市内には中国企業が建設した高層ビルが林立します。シハヌークビルはリゾート地でもあり、プノンペンからの高速道路建設も中国資本が主導しています。

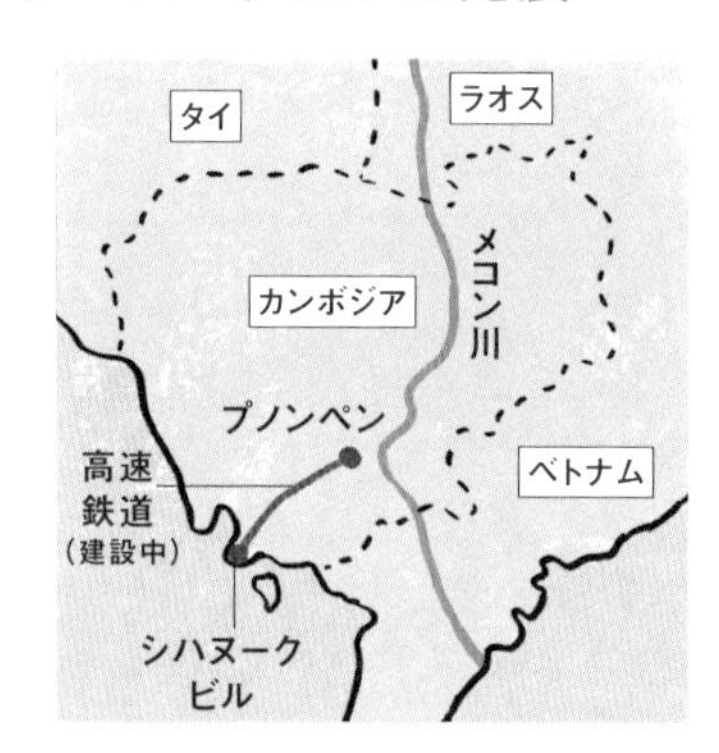

人民党による野党弾圧

2013年の選挙では、最大野党の救国党が躍進しました。しかしケム・ソカ党首が外国政府と協力して政権の転覆を画策したとして2017年に国家反逆容疑で逮捕され、救国党は解党に追い込まれます。翌年に行われた下院選でフン・セン率いる人民党が議席を独占しました。

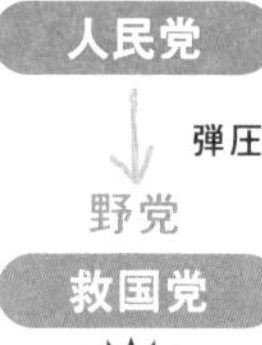

Kingdom of Cambodia

カンボジア国民ここが特徴

手先が器用でアパレル産業を支えている

カンボジア人は手先の器用さに定評があります。そのため、繊維・衣類などの縫製業が盛んで、製造業全体の企業数の半数以上を占めるほど。賃金が低いことから、ZARAやH&M、小売のウォルマートなどの生産拠点になっています。

自国通貨・リエルをほとんど使わない

カンボジアの通貨はリエルですが、現地では多くの人がアメリカドルを使用しています。リエルはドル支払いの小額のお釣りとして渡されることが多く、小額での使い道が少ないため、特に短期旅行者はその処理に困らされます。

人気観光地アンコール遺跡が誇り

カンボジアが誇るアンコール遺跡は、世界有数の観光地。毎年200万人以上の観光客が訪れ、現地の観光業を支えるとともに、貴重な外資収入源です。日本はカンボジア内戦で被害を受けた遺跡の復旧に貢献しました。

礼儀正しく、謙遜を美徳とする

カンボジア人の大多数は敬虔(けいけん)な仏教徒。礼儀が正しく、謙遜を美徳とする文化を持っています。上座部仏教徒が多いため、托鉢を見かけることが多いですが、女性は僧侶に触ってはいけないなどタブーがあるので注意が必要です。

03 ラオス 事情

唯一の内陸国 ラオスの山岳社会

Nature

バック
グラウンド

国土の約70%が 高原・山岳地帯

東南アジア唯一の内陸国であるラオスは、国土のほとんどが山地です。主要民族のラオ族は、人口の半数程度で、多くの少数民族が山奥で暮らしています。メコン川流域の平地には、街や農村が多数あり、農業も盛んです。

ラオス人民民主共和国

ビエンチャン

人口	約720万人	面積	23万6,800㎢
首都	ビエンチャン	首都人口	約70万人
政治体制	人民民主共和制	名目GDP	約190億ドル
一人当たりGDP	約2,700ドル	GDP成長率	7.0%

意外な一面

電力で稼ぐ“東南アジアのバッテリー”

山地部からは多くの川がメコン川に流れ込んでおり、支流を活用した水力発電が盛んです。あり余る電力のおかげで、東南アジアの中でも電化率が高い国の一つになっており、周辺国にも電力を輸出しています。

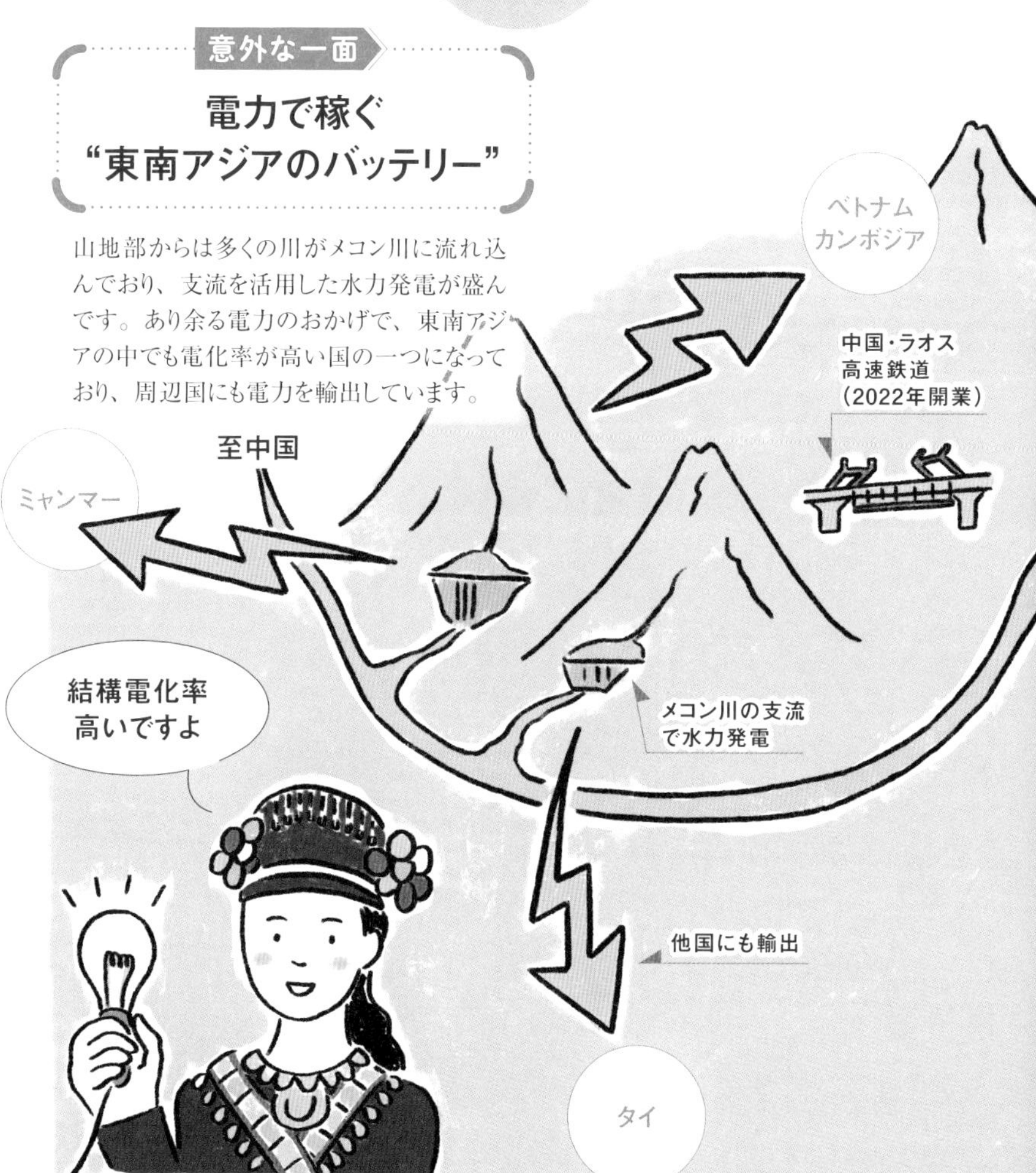

ラオス
のバック
グラウンド

国土の約70%が 高原・山岳地帯

ラオスは四方を山に囲まれる、国土の約70%が高原と山岳地帯の特殊な地形の国。ラーンサーン王国を建国したラオ族が主要民族ですが、**50ほどの少数民族が共存**しています。ラオ族の多くはメコン川流域に広がるわずかな平地で暮らし、稲作を中心とした農業を営んでいます。一方、高地には少数民族も多く、精霊信仰など、独自の文化を残します。

“百万頭のゾウの国”

ラーンサーン王国は「百万頭のゾウの国」という意味で、14世紀に北部ルアン・パバーンに成立。王都はその後ビエンチャンに遷都されましたが、美しい仏教寺院が残る古都ルアン・パバーンは世界遺産になっています。

ワット・シエントーン@ルアン・パバーン

ラオスの民族グループ

ラオスの民族は大きく三つのグループに分かれます。平地に暮らし、その多くがラオ族である「ラオ・ルーム」、丘陵地帯に暮らし、高床式住居などの文化を持つ「ラオ・トゥン」、山岳地帯に暮らし、土間式住居などの文化を持つ「ラオ・スーン」です。総じて国民は牧歌的で温和な性格です。

民族グループの呼称

ラオ=国民の総称

高地ラオ
“ラオ・スーン”

山腹ラオ
“ラオ・トゥン”

低地ラオ
“ラオ・ルーム”

ラオスのリアル

電力で稼ぐ"東南アジアのバッテリー"

メコン川は全長4000km超の国際河川ですが、そのうちの約半分はラオスを流れます。山々から流れる支流を活かした水力発電は、鉱業とともにラオスの経済を支える重要な産業。国境を接するベトナム、カンボジア、タイ、ミャンマーにも電力を輸出し、電力不足に悩む周辺国を支えています。**これらの国や中国とは国境を通じて行き来でき、密接な関係に**あります。

メコン川と水力発電

国際河川であるメコン川でのダム開発には、メコン川委員会での関係国との利害調整が必要です（事実上不可）。支流を多く持つラオスが水力発電で有利なのはこのためです。同委員会に入っておらず、上流にダムを次々と建設する中国（P87）は、ラオスをはじめメコン川中下流域国との関係を複雑化しています。

ラオスの近隣国との関係

ラオスは5ヵ国に囲まれた国です。カンボジアと同じく親中国であり、ラオスと中国の間には高速鉄道が建設されています。同じ社会主義国であるベトナムを、発展を成功させた兄貴分として慕っている一方、民族的に近く、相互に言語が通じるタイとの関係は、ベトナムほどではありません（P87）。

04 タイ 事情

王国・タイで繰り返されるクーデターの構造

Politics

バック
グラウンド

植民地化されなかった王国の立憲君主制

東南アジアで唯一植民地化されなかったタイでは、古くからの王政が現在も続いています。国王の権限は立憲君主制であっても比較的強く、不敬罪なども存在します。

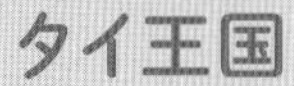

バンコク

人口 約6,960万人
首都 バンコク
政治体制 立憲君主制
一人当たりGDP 約7,800ドル
面積 51万3,120㎢
首都人口 約570万人
名目GDP 約5,440億ドル
GDP成長率 3.7%

Society

王政のもと、自力で近代化を進めたタイは、早くから工業化が進み、大陸部で最も発展した国になりました。2036年までの先進国入りを目指し、新たな産業を創出しようとしています。

1 その結果

早期から工業化し大陸部ナンバー1に

タイでは、これまで20回近くのクーデターが起こり、度々国軍が政治の表舞台に登場します。2014年の軍事クーデターではプラユット陸軍司令官が自ら首相となりました。

2 一方で…

軍事クーデターが繰り返されデモで混乱する社会

タイのバックグラウンド

植民地化されなかった王国の立憲君主制

植民地支配から逃れたタイでは、現在のチャクリー王朝が1782年から続いています（P99）。立憲君主制のもと、国王は基本的に政治には介入しませんが、内閣の任命、国会の開催、軍の統帥権など、幅広い権限を持ち、王室を批判できないよう不敬罪も存在します。**王室は国民からの敬愛の対象**であり、毎日朝夕2回、国歌が流れ、全員が立ち止まります。

国王が施行する戒厳令

タイの政治体制は立憲君主制ですが、日本より国家元首の権限が強いことが特徴です。2017年には国王が直接、憲法草案に修正を加えました。非常事態が発生した場合、行政と司法を停止し、国軍が治安維持の全権を掌握する戒厳令も存在し、2014年のクーデターの際にも発令されています。

国王の権限

- 内閣の任命
- 軍の統帥
- 戒厳令の施行

不敬罪、特赦もある

国民に愛されたラーマ9世

前国王のラーマ9世（プミポン・アドゥンヤデート）は、民主化を望む国民と権力維持を狙う軍とが対立した際に、自らが仲介し事態を収束させるなど、手腕のある国王でした。地方をくまなく回り、国民の声に耳を傾けるなど、国民から敬愛されており、2016年に崩御した時はタイ全土が悲しみに暮れました。

プミポン国王
（ラーマ9世）

タイのリアル 1

早期から工業化し大陸部ナンバー1に

東南アジアの中でもいち早く近代化に取り組んだタイ(P104)は、自動車工業を中心とした製造業で、大陸部で最も発展を遂げました。近年は人件費の上昇により、周辺4ヵ国に一部の工程を移転する「タイプラスワン」という動きが、外資企業の間で出ています。そこでタイは、より付加価値の高い産業への転換を狙う「タイランド4.0」を進めています。

重工業からさらなるステップへ「タイランド4.0」

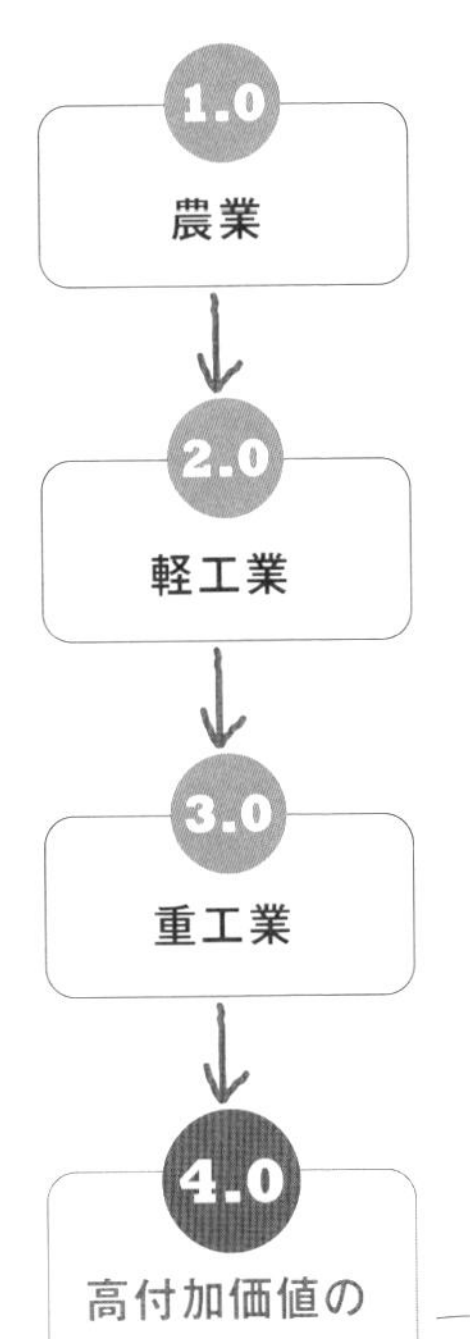

タイは外資企業の誘致で工業化に成功しました。特に日本は、企業の進出が進んだ1985年のプラザ合意以来、常に最大の投資国であり、トヨタや日産、デンソーなど、多くのメーカーが進出。タイの自動車生産における日本車のシェアは90%に上るほどです。

しかし現在、開発や成長が「中進国の罠(P38)」の影響もあって停滞しつつあり、経済構造改革が課題になっています。そこで2015年、プラユット政権のもと長期ビジョン「タイランド4.0」が策定されました。この4.0とは、発展の第一段階の農業、第二段階の軽工業、第三段階の重工業に続く四つ目の産業のこと。イノベーション、生産性、サービス貿易を中核に、デジタルやロボット産業などを誘致・育成し、高付加価値の財・サービスで持続的な経済を手に入れようしているのです。

タイ のリアル 2

軍事クーデターが繰り返され デモで混乱する社会

タイは軍の存在感が強く、国王の了承のもとで、軍事クーデターが度々発生してきました。2001年に発足したタクシン政権や、2011年に発足した妹のインラックによる政権も、国内を二分する対立で混乱を招いた末、クーデターで崩壊。その後、**2019年に形式的に民政に移管しましたが、真の民主化を求め、断続的にデモが発生しています。**

タクシン派と反タクシン派で国内二分

2001年に総選挙で勝利したタクシンは、農村部への手厚い政策で支持を獲得。すると都市部を中心に、タクシンの強引な政治手法や身内びいきに反発が強まり、黄色いシャツを着た「反タクシン派」が空港や首相官邸を占拠するなど大混乱、クーデターによりタクシン政権は崩壊。以降、反タクシン派が政権を握る状況下で赤いシャツを着た「タクシン派」がデモを繰り返しました。

2020年に反政府デモが多発

民政移管後も続いた事実上のプラユット軍事政権に対し、2020年、学生を中心とした民主化を要求するデモが多発。一部には王室批判も見られ、「若者」対「中高年を中心とする王室擁護派」という、タイ史上、極めてまれな対立構造に発展しつつあります。

Kingdom of Thailand

経済成長で自信満々

経済発展の味を知るタイは、大陸部諸国の中で最も自信に満ち溢れています。一部の富裕層にはバブル的な雰囲気が漂い、その「上から目線」的な態度が、カンボジアやラオス、ミャンマーから疎まれる理由の一つです。

生まれた曜日が大切

タイ人は、月曜は黄色、火曜は桃色というように、生まれた曜日によって色が決まっています。ラーマ9世および現国王・ラーマ10世は黄色で、反タクシン派が黄色のシャツを着たのはこのためです。

タイ国民 ここが特徴

国民の90%以上が仏教徒

タイの国旗の白い部分は「宗教（上座部仏教）」を表し、「民族」の赤とともに、「国王」の青を挟んでおり、国王も仏教を信奉しています。男性は一生に一度は出家して仏門に入ることが暗黙の義務となっています。

外国人が憧れる微笑みの国

「微笑みの国」と呼ばれるタイ。自然と生まれる笑顔と柔らかな物腰のタイ人の国民性と、熱帯気候は、まさにエキゾチックで外国人に大人気。リゾート地のプーケットや歴史遺産のアユタヤは、一大観光地です。

05 ミャンマー 事情

民主化によって始まったミャンマーの急成長

Before

バック
グラウンド

イギリスからの独立を果たした英雄・アウン・サン将軍

太平洋戦争中、日本とイギリスの両国の支配を受けたミャンマーは、独立運動家アウン・サンらの活躍で独立を果たします。しかしその後、クーデターによりビルマ式社会主義を掲げた軍事政権が誕生。軍政時代が今世紀まで続き、国際社会から孤立します。

ネーピードー

ヤンゴン

ミャンマー連邦共和国

人口	約5,280万人	面積	67万6,590㎢
首都	ネーピードー	首都人口	約120万人
政治体制	大統領制、共和制	名目GDP	約690億ドル
一人当たりGDP	約1,300ドル	GDP成長率	6.9%

After

軍事政権に対し、アウン・サンの娘、アウン・サン・スー・チーが民主化運動に身を投じます。軍はアウン・サン・スー・チーを自宅に軟禁するも、2011年に民政移管。軍出身の改革派テイン・セインが大統領として次々と社会改革を進めました。2015年、続く2020年の選挙でスー・チー政党が圧勝したものの、2021年のクーデターで民主制が危ぶまれています。

1 その後の歩み

アウン・サン・スー・チーが民主化実現に奔走

2011年民政移管

2 実際、今は…

開発ラッシュとともにさまざまな問題が浮上

民主化により開発ラッシュを迎えたミャンマーですが、開発のスピードに都市機能が追い付いていません。その上で終息の見えないクーデターの他にロヒンギャ難民問題、少数民族武装勢力との対立にも悩まされ、外資企業は計画見直しを余儀なくされています。

ミャンマーのバックグラウンド

イギリスからの独立を果たした英雄・アウン・サン将軍

太平洋戦争中、アウン・サン率いる独立義勇軍が、日本軍と共闘し、イギリスを駆逐（P105）。しかし、新たなビルマ国の内実は、日本の傀儡（かいらい）国家でした。アウン・サンは抗日運動に転換し、独立を条件にイギリスに寝返り。日本軍の撤退後、1948年に**ビルマ連邦**が成立するも、1962年に軍事クーデターが発生し、長い**軍政時代**に突入します。

軍政時代の社会主義経済

1962年
ネ・ウィンによる
軍事クーデター

↓

1980年代
社会主義経済の失敗
国際社会からの孤立

独立の前年、アウン・サンは建国に立ち会うことなく暗殺されます。独立後しばらくの間は社会発展を続けるも、クーデターで大統領になったネ・ウィンが社会主義経済を導入。1980年代になると経済は崩壊し、国連から「最貧国」と格付けされます。ちなみに、ビルマが「ミャンマー」に改名されたのは1989年です。

軍政時代に中国が援助

軍政時代、欧米諸国から経済制裁を受けていたミャンマーは、中国から援助を受けていました。2ヵ国の間には石油・天然ガスのパイプラインが通っており、中国にとってマラッカ海峡の経由が不要な最重要の資源供給路になっています。

ミャンマーのリアル 1

アウン・サン・スー・チーが民主化実現に奔走

軍事政権に対する民主化運動が高まっていた1988年、アウン・サン・スー・チーが国民民主連盟（NLD）を結成。NLDと軍事政権の対立は長期化しますが、民政移管により2011年に**テイン・セイン政権**が発足、改革に着手しました。2015年の選挙でNLDが政権を握ったものの、2021年にクーデターが発生、民主化は存続の危機に瀕しています。

テイン・セインの民主化改革と2021年のクーデター

軍出身の革新的な政治家テイン・セインは大統領就任後、政治犯の釈放、メディアの自由化、武装勢力との停戦など、民主化を推進。同時に税制優遇による外資の誘致を進め、自由経済の土台を整えました。2015年には、選挙でNLDが勝利し、アウン・サン・スー・チーが事実上の国家元首になり、社会は一時安定します。2020年の総選挙でも、NLDが勝利しました。しかし、最大野党で、事実上国軍が支援する連邦団結発展党（USDP）が訴えた選挙の不正に、国軍が賛同。国軍は2021年2月にアウン・サン・スー・チーやウィン・ミン大統領らを拘束し、非常事態宣言を発令して、立法・司法・行政の全権を掌握しました。

ミャンマーのリアル 2

開発ラッシュとともにさまざまな問題が浮上

民主化を実現したミャンマーは、東南アジア最後の未開拓市場として、世界中の注目を集めています。欧米諸国との国交正常化も進展、経済特区の開発も進むかたわらで、**遅れをとったインフラの整備**を各国が援助しています。一方で、電力不足などの課題も山積するほか、**ロヒンギャ問題**では国際社会から強い批判も浴びています。

各国が乗り出すインフラ整備

民主化が遅れたミャンマーのインフラは、東南アジアでも最低レベル。諸外国の援助を受けるため、テイン・セインはあえて中国とのダム開発を中止し、欧米寄りの姿勢をアピール。その後、アウン・サン・スー・チーが戦略的なバランス外交を行いました。しかし2021年のクーデターで先行きは見通せません。

ロヒンギャ難民の問題

ミャンマー西部のラカイン州に居住するイスラム教徒のロヒンギャ族は、軍政時代から「不法移民」として国籍を与えられず、差別・迫害の対象でした。2017年、ロヒンギャの武装集団の襲撃を受け、ミャンマー軍がロヒンギャの掃討作戦を展開。数十万のロヒンギャ難民がバングラデシュへ逃れました。

Republic of the Union of Myanmar

知識レベルが非常に高い

人口の約70%を占めるビルマ族は、もともと気高い民族といわれ、イギリス植民地時代には積極的に近代化を受け入れました。知識レベルが高く、ヤンゴンの街中では多くの国民が新聞を読む姿が見られます。

真面目で実直な性格

ミャンマー人は、東南アジアの中でも、最も真面目な性格ともいわれます。実直で勤勉であり、ミャンマーに進出する、日本をはじめとした外資企業は、その国民の姿に同国の飛躍の可能性を感じずにはいられません。

ミャンマー国民ここが特徴

平均年齢は27.1歳若者が社会を支える

ミャンマーの平均年齢は27.1歳(2015年時点)と、非常に若い人口構成になっています。新しい世代が今後社会を支えていくことで、国はますます発展していくと考えられます。

もともとあった成長のポテンシャル

仕事熱心な人が多いミャンマーは、独立後に社会構築に取り組みました。軍事政権以前の1950年代は、タイよりも発展しており、タイの駐在員はミャンマーに買い出しに通ったほどです。

06 マレーシア 事情

一人のカリスマが建設したマレーシアの開発独裁

Before

バック グラウンド

巨人・マハティールのルックイースト政策

独立後のマレーシアは、政治家・マハティールが推進したルックイースト政策で堅調に発展します。ここでの「イースト」とは、東方にある日本や韓国のこと。高度成長を遂げた日本や韓国の価値観やシステムをモデルにしたのです。

マレーシア

人口 約3,260万人　面積 33万345㎢　首都 クアラルンプール
首都人口 約180万人　政治体制 立憲君主制　名目GDP 約3,650億ドル
一人当たりGDP 約11,200ドル　GDP成長率 5.2%

After

1 その結果 IT化と豊富な資源で所得は増加

先見の明があったマハティールは、いち早くデジタル化を推進しました。その上、原油や天然ガス、パーム油などの資源にも恵まれ、現在、国民の所得水準はシンガポールやブルネイに次いでいます。

2 一方で… マレー人優遇政策 “ブミプトラ”が存在

華人が多いマレーシアでは、華人に比べてマレー人はさまざまな面で競争劣位にあるとして、マレー人を優遇する「ブミプトラ（「土地の子」という意味）」という政策を進めました。現在もその制度は維持されており、マレーシア社会の複雑性が垣間見えます。

マレーシアのバックグラウンド

巨人・マハティールのルックイースト政策

植民地時代から土着のマレー人に加え、華人、インド人が多く居住していたマレーシアは、１９５７年の独立時、**マレー人が初代首相となって歩み始めます。**１９８１年に首相に就任した**マハティール**は、権力を一極集中させ、日本や韓国をモデルにした「ルックイースト政策」によって、重工業やデジタル産業を徹底的に推進し、マレーシアを発展させました。

マレーシアの独立と3大民族

マレーシアは独立の際、マレー人、華人、インド人がそれぞれの民族政党をつくり、3大政党による連合党を結成する形で選挙に圧勝。マレー人のラーマンが初代首相になります。しかし1960年代になると、華人とマレー人の関係が悪化。1969年に民族衝突「五月十三日事件」が起こり、ラーマンは辞任します。

華人
対立
インド人
マレー人
各政党に分離
連合を結成
1957年独立
マレー人が議席トップ
首相に

カリスマ政治家・マハティール

1925年に生まれたマハティールは、敗戦から経済大国へと復興する日本の姿を見て、規範やものづくりへの真摯さを見習うべきだとしてルックイースト政策を進めました。2003年に辞任しますが、その功績から国民からの信頼は厚く、2018年、92歳でトップに復活しています（2020年辞任）。

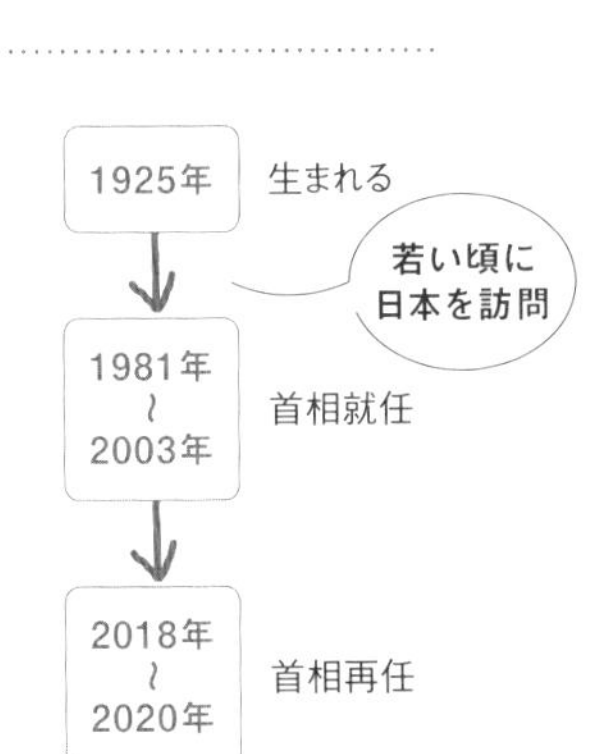

マレーシアのリアル 1

IT化と豊富な資源で所得は増加

2020年までの先進国入りを目指したマハティールは工業化を推進しました。さらに21世紀に到来するデジタル化を予測して、情報と知識を集積させた地域「マルチメディアスーパーコリドー」を開発。現在ハイテク工業団地サイバージャヤが、ITの拠点として発展しています。エネルギーや観光資源にも恵まれ、高位中所得国に位置しています。

製造業と資源輸出の両輪で発展中

マレーシアでは、テレビ、半導体など電気・電子製品が有力な産業です。鉄鋼や自動車など重工業も強く、三菱グループと合弁で設置した「プロトン」、ダイハツと合弁で設立した「プロドゥア」など国民車プロジェクトを推進してきました。

マレーシアの主要輸出品目

1位 電気・電子製品

2位 パーム油・同製品

3位 石油製品

4位 液化天然ガス

5位 原油

観光資源に恵まれたリゾート大国

マレーシアは観光資源にも恵まれています。同国で最高峰を誇るカリマンタン島の「キナバル山」、自然と隣り合わせのリゾート地「ランカウイ島」、首都クアラルンプールにあるイスラム風の高層ビル「ペトロナス・ツインタワー」は人気スポットです。

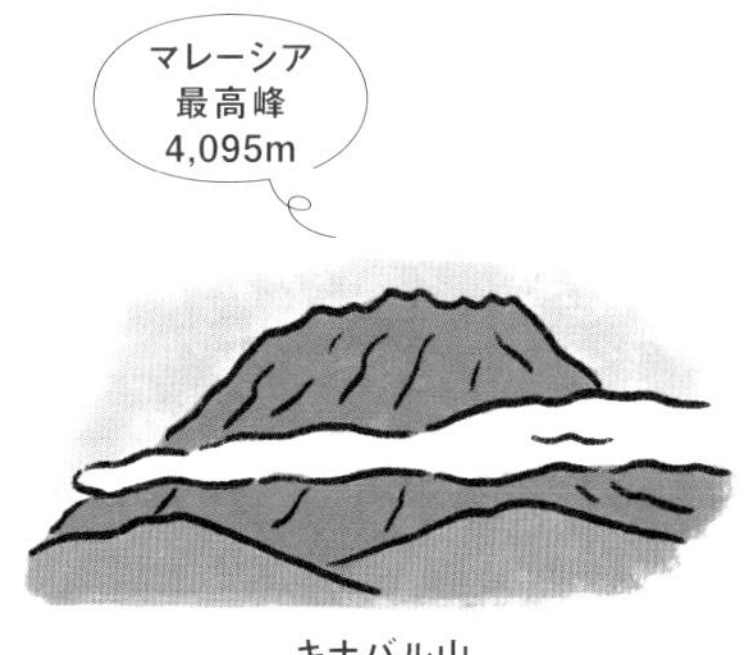

キナバル山

マレーシアのリアル 2

マレー人優遇政策 "ブミプトラ"が存在

華人が経済的優位に立っていた1960年代、マレー人と華人の格差が拡大。マレーシア政府は、マレー人の不満を抑えようと、1971年より「ブミプトラ」というマレー人優遇政策を開始し、政府調達におけるマレー企業の優先受注や、雇用や大学入学におけるマレー人比率の設定を行いました。**ブミプトラは一部が廃止されましたが、基本的には現存しています。**

東南アジアに多い華人と華僑

東南アジアには約3,000万人の華人が住んでいます。華人とは、外国籍を取得している中国系の人々を指し、中国国籍のまま外国で暮らす人は「華僑」と呼ぶこともあります。東南アジアへの移民は、対外貿易が発展した8～9世紀、アジア交易が盛んだった15～17世紀、アヘン戦争により中国が混乱した19世紀後半～20世紀前半に急増しました。

1940年～
アヘン戦争
↓
中国社会の混乱
↓
東南アジアに移住
＝
華僑
↓
国籍取得
＝
華人

マレーシアの民族分布

マレーシアの民族構成は、マレー系が約69%、中国系が約23%、インド系が約7%となっています。ブミプトラ政策で就学や就業が不利な華人が、イギリスやオーストラリアに移住するという現象が一部で起こっています。

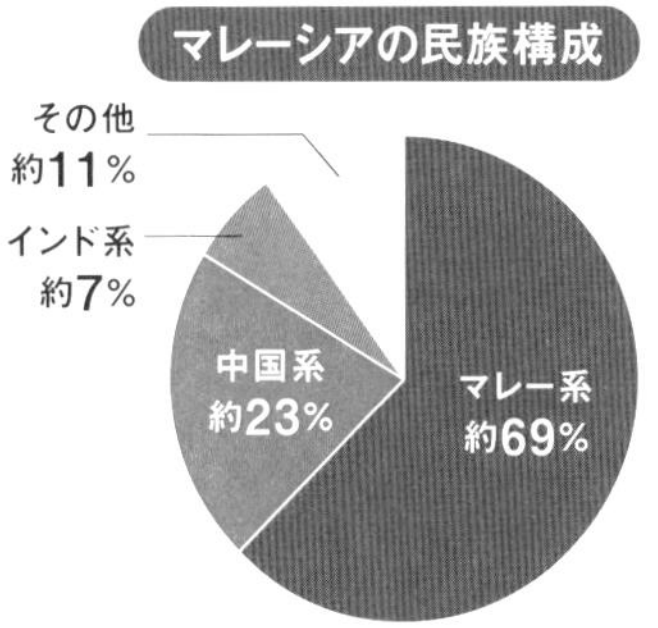

マレーシアの民族構成

民族	割合
マレー系	約69%
中国系	約23%
インド系	約7%
その他	約11%

外務省「マレーシア基礎データ」より作成

マレーシア国民 ここが特徴

スルタン制も残るイスラム教社会

マレー系の人々の大部分がイスラム教を信仰しており、イスラム教は国教に定められています。マレーシアには、13の州がありますが、9つの州にスルタン（君主）がおり、国王はその中から互選で選ばれます。

現場で働くのはあまり好きじゃない？

マレー系の人々は体を酷使する仕事を好まないようです。植民地時代から、ゴム農園やスズ鉱山の労働は中国・インド系の人に任せ、自分たちはのんびりと農業をしていました。現在もエアコンが効いたオフィスでの仕事が人気です。

外国人家政婦で育児と介護

マレーシアは労働人口不足の問題を抱えており、政府主導での女性の社会進出が進んでいます。家事や育児、介護において家政婦を雇う家庭も多く、その多くはフィリピンやインドネシアからの外国人労働者です。

中国系は仏教徒。インド系にはヒンドゥー教も

中国系は仏教を、インド系ではヒンドゥー教を信仰する人が多いマレーシア。彼らは当然ながらイスラム教の戒律に縛られず、同じ国民でも生活様式が異なるため、街中の飲食店などはそれぞれ各宗教に合わせた店舗になっています。

07 シンガポール 事情

ビジネス大国・シンガポールは世界の超重要拠点

Before

バック グラウンド

マレーシアから独立し エリートが国をけん引

小さな島国のシンガポールは、もともとマレーシアから独立してできた国。エリートが経済政策を策定・けん引して、先進国へと成長してきました。

シンガポール共和国

人口 約570万人
面積 719㎢
首都 ー(都市国家)
首都人口 ー
政治体制 立憲共和制
名目GDP 約3,720億ドル
一人当たりGDP 約65,200ドル
GDP成長率 3.1%

After

何よりも経済を優先するシンガポールに、民族や宗教は関係ありません。多文化が共生する社会に、世界中の企業、情報、金融が集結し、新たなビジネスが次々と生まれています。

1 その結果…

世界中のビジネスマンが集まる東南アジアの経済拠点に

2 一方で…

一流国家を可能にした統制社会

シンガポール社会の発展は、政府による統制によって成り立っています。そのため、市民生活も管理が徹底され、一部からは「明るい北朝鮮」と呼ばれることもあります。

シンガポールのバックグラウンド

マレーシアから独立しエリートが国をけん引

マレーシアの州の一つであったシンガポールでは、**イギリスから英語教育を受けたエリートや経済的に強い華人**が、共同で自治政府を運営していました。しかし、マレーシアではマレー人と華人の対立が激化（P148）。全ての民族の平等を強く主張したシンガポールは1965年に追放されます。その後、エリート層の統制政策で、**経済大国に成長**するのです。

シンガポールの礎を築いたリー・クアンユー

リー・クアンユー

華人4世でイギリス・ケンブリッジ大学への留学経験を持つリー・クアンユーは、35歳でシンガポール自治政府の首相になり、独立後も開発独裁的な手法でシンガポールをけん引しました。有能な人材を次々と官僚に登用し、大胆な政策で外資企業誘致を進めたカリスマです。

23区ほどの国土面積に世界の資本が流入

東南アジアナンバー1の経済の中心・シンガポールは東京23区とほぼ同じ面積。マレーシアと橋で結ばれた島国の都市国家です。天然資源に乏しく、資源・食糧の多くを輸入に依存しています。特に水の供給はマレーシアに依存しており、いわば生殺与奪権を他国に握られているのです。

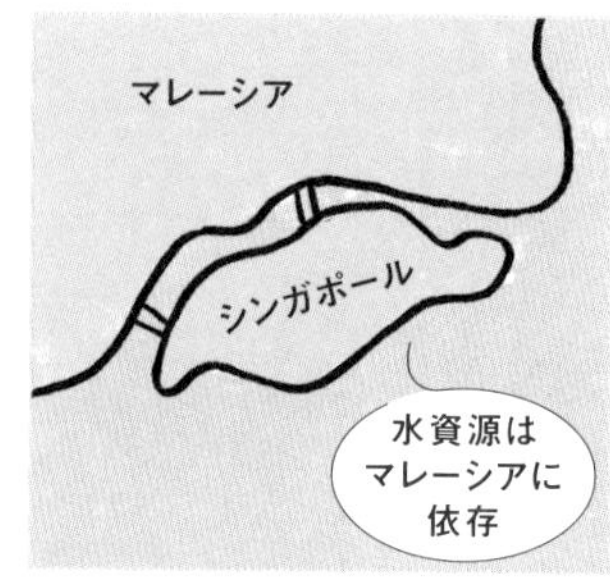

シンガポールのリアル 1

世界中のビジネスマンが集まる東南アジアの経済拠点に

マラッカ海峡は世界の物流の要衝ですが（P86）、その最も重要なハブ機能を担うのが港湾都市シンガポールです。**海運や貿易が盛んな上、**空路で東南アジア最大の中継地として機能しています。**集まるのは物だけではありません。**低い法人税率と自由度の高い金融市場により、世界中の企業が集まるため、有能な人材と資金、情報が集結しています。

GDPの4分の3が第三次産業

国土面積が小さいシンガポールは、農業や重工業には不向き。第三次産業が経済の大部分を占めます。物流業に加え、金融やコンサルティングが近年成長しており、ITなどスタートアップ企業も集まってきています。

外国人労働者も重要

シンガポールはアジアの重要な出稼ぎ先でもあります。各国から優秀な頭脳を集めることで経済や産業を発展させつつ、建設作業員や清掃作業員など単純労働も他国に依存してきました。しかし近年、景気動向に応じて外国人労働者の受け入れをコントロール。外国人労働力は雇用の調整弁とされています。

シンガポールのリアル

2

一流国家を可能にした統制社会

経済発展のため、社会秩序の乱れにつながるものを排除しようとした指導者リー・クアンユーは、徹底した社会統制を行ってきました。教育は総じて規律が厳しく、言論統制もされており、政治も独立以来、与党一強の体制です。「明るい北朝鮮」とも揶揄（やゆ）され、市民は規律の遵守が求められます。特に厳しいのが刑罰で、**徹底した監視社会**になっています。

シンガポールの厳しい罰則

ガムのポイ捨てに罰金がかかることで有名なシンガポールですが、現在ガムは所持・製造・販売全てが禁止されています。タバコなどの購入量にも規制があり、シンガポールと高速フェリーで結ばれるインドネシアの島で大量に買い込んで帰国すると、入国ゲートで係官に摘発されることも。さらに、壁に落書きをした外国人の少年が、鞭打ちの刑を受けたこともありました。大麻を含む麻薬の所持、拳銃を使った強盗などは、死刑など厳罰が科されます。国内には監視カメラが張り巡らされ、政府は市民に社会の乱れにつながる情報の提供を推奨しています。

Republic of Singapore

ビジネスは英語 国語はマレー語

シンガポールは人口の3割近くを外国人が占める国。民族も中華系が多いものの、マレー系、インド系をはじめとする多様な民族が集まっています。国語はマレー語ですが、日常語は多彩で、教育・ビジネスでは英語が共通語です。

海外のニュース に関心

国際ビジネスが重要産業であるシンガポールでは、新聞やテレビも海外のニュースばかり。「インド」「中国」といったカテゴリで細かく報じられます。狭い国内のニュースは限定的に報じられるのみです。

シンガポール国民 ここが特徴

ほとんどの人が 公営団地暮らし

住民の大部分が、公的機関が提供する団地に暮らしており、街中で見られる高層住宅も多くが公営の建物です。富裕層はコンドミニアムに住んでおり、駐在するビジネスマンも使用します。

国土が狭く、車両を規制

国土の小さいシンガポールには、渋滞を防ぐための規制があります。都心の出入りには時間帯や通行区域によって割増料金が課されます。また、自動車販売の数量規制のため、車は非常に高額です。

08 ブルネイ 事情

国王が全てを握る知られざるブルネイの社会

バック グラウンド

世界一裕福といわれる王室

ブルネイは王政の国。石油と天然ガスで得た富が王室に集中し、「世界一裕福な王室」ともいわれます。強い権限も持っており、国民の約半数が公務員で、国王が首相、国防相、財務相、外務貿易相を兼ねるなど、国政全般を掌握しています。

バンダル・
スリ・ブガワン

ブルネイ・ダルサラーム国

人口	約50万人	面積	5,770㎢
首都	バンダル・スリ・ブガワン	首都人口	約10万人
政治体制	立憲君主制	名目GDP	約130億ドル
一人当たりGDP	約29,300ドル	GDP成長率	0.7%

カリマンタン島の北部にあるブルネイは、三重県とほぼ同じ程度の小さな国。石油と天然ガスがとれ、その主な輸出先は日本です。恵まれた天然資源により国民の所得は高く、社会保障も充実。国民の約半数は公務員です。ただし、シンガポールのような発展社会ではなく、他の東南アジア諸国のような開発ラッシュもありません。国王の権限が強く、王室は非常に裕福です。

実社会は…

社会保障が整うイスラム教国家

ブルネイでは国民への社会保障が充実しています。東南アジアではシンガポールに次いで一人当たりのGDPが高い国です。イスラム教が国教で、外国人であってもレストランなど公共の場での飲酒は禁じられています。

09 フィリピン 事情

強烈なリーダーが動かすフィリピンの本当の姿

Before

マルコス(1965~86)

共産勢力、イスラム武装勢力を弾圧

バック
グラウンド

マルコス、アキノ、ドゥテルテ……個性あふれるリーダーが次々と登場

ドゥテルテの強権政治で話題となっているフィリピンは、マルコスやアキノなど、歴代の大統領も個性的。政治に対する国民の関心も高い国です。

1 外国とは…

アメリカと中国の間で抱える地政学的苦悩

東南アジアの北東に位置し、太平洋と大陸に挟まれるフィリピンは、アメリカにとってアジアの重要拠点です。米中の対立の間で、フィリピンは微妙な立場を強いられています。

フィリピン共和国

人口	約1億730万人	面積	30万㎢
首都	マニラ	首都人口	約1,370万人
政治体制	立憲共和制	名目GDP	約3,770億ドル
一人当たりGDP	約3,500ドル	GDP成長率	7.3%

After

ドゥテルテ（2016〜）

汚職、麻薬などの
取り締まりを強行

アキノ（1986〜1992）

ピープルパワー革命で
大統領就任

2 実際今は？

麻薬や強盗犯罪などの風景は日常ではなくなった

治安が悪いイメージのつきまとうフィリピンですが、近年は社会が安定し、経済は順調に成長しています。徹底的なドラッグ・犯罪の取り締まりに乗り出した、ドゥテルテの功績でもあります。

フィリピンのバックグラウンド

マルコス、アキノ、ドゥテルテ……個性あふれるリーダーが次々と登場

1965年から始まったマルコス政権時代、フィリピンは汚職や特定企業との癒着がはびこり、失業率の上昇と治安悪化から、「アジアの病人」と呼ばれるほど経済が停滞していました。1986年、**ピープルパワー革命**によりアキノがマルコスを打倒した後は、徐々に民主化が進み、経済は正常化します。こうした中、2016年に登場したのが強権的なドゥテルテです。

ピープルパワー革命

100万人デモ

マルコスは、共産党やイスラム武装勢力、学生運動などで混乱していたフィリピンを、戒厳令で統制。さらに政敵のベニグノ・アキノを投獄し、独裁的手法でフィリピンを支配してきました。その後、ベニグノ・アキノが暗殺されたことで、国際社会からの圧力を受け、大統領選を実施。中央選挙管理委員会がマルコス勝利を発表しましたが、あからさまな開票操作に国民の反マルコス感情が爆発。大規模なデモが起こる中で、マルコスはイメルダ夫人と国外へ逃亡、大統領には未亡人のコラソン・アキノが就任し民主化を推進します。マルコス夫妻が去った後の宮殿に残されていたイメルダ夫人の高級な靴のコレクションは、日本でも話題になりました。

フィリピンのリアル 1

アメリカと中国の間で抱える地政学的苦悩

フィリピンは第二次世界大戦以降の独立以来、**親米的な外交を行っており、アメリカ軍基地もありました**。近年は、ドゥテルテ政権のもと、徐々に中国寄りの姿勢を強めています。ドゥテルテは大国化する中国に近づいて援助を引き出す方針です。しかし、中国が南シナ海での実効支配を強化していることもあり、**国民の反中感情は強く**、今後の動向が注目されます。

アメリカからの独立と米軍基地

米比戦争後、フィリピンの独立を約束したアメリカは、太平洋戦争で日本を放逐(P105)。1946年にフィリピンを独立させるとともに、米比軍事基地協定を結んで基地を存続させます。冷戦が終結し、1992年には完全撤退しますが、中国の南シナ海での台頭に対して1998年に「訪問軍地位協定」を締結、合同軍事演習を実施する米軍に法的地位を与えました。

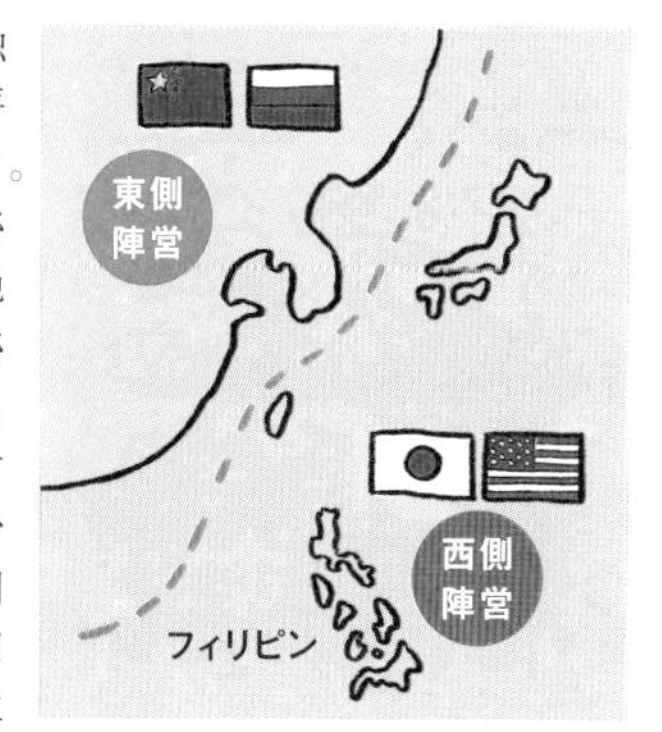

スカボロー礁の領有問題

2012年、中国の海軍艦船が南シナ海・西沙諸島のスカボロー礁を占拠しました。フィリピンは中国への反発を強め、国連海洋法条約に基づき仲裁裁判所に提訴して勝訴しましたが、中国がフィリピン産バナナの輸入を差し止め、フィリピンの農業が大打撃を受けました。

フィリピンのリアル 2

麻薬や強盗犯罪などの風景は日常ではなくなった

治安悪化と経済停滞が続いたフィリピンでは、**外資企業の参入が遅れ**、工業化がなかなか進みませんでした。こうした中、麻薬取り締りや汚職撲滅を掲げるドゥテルテが国民の高い支持を得て大統領に。徹底的な取り締まりが功を奏して、目に見えて治安が改善します。また近年は、**工業化の遅れをサービス業で補う**動きも見られます。

治安が悪いイメージを払拭し、日本の人気進出先に

1986年、三井物産のマニラ支店長・若王子信行さんが、武装した5人組に誘拐される事件が発生。日本中が騒然となりました。以降、日本企業は進出を避けるようになります。しかし、30年以上経った現在は以前のイメージも払拭され、人口が多く地理的にも近いフィリピンは、日本企業の人気の進出先の一つになっています。

BPO事業に世界中が注目

アメリカの植民地であったフィリピンでは、英語を生かしたBPO事業（ビジネス・プロセス・アウトソーシング）で、海外からの受注を増やしています。場所に制約されないコールセンターがその代表で、時差を活かした監視カメラの管理業務なども得意とします。

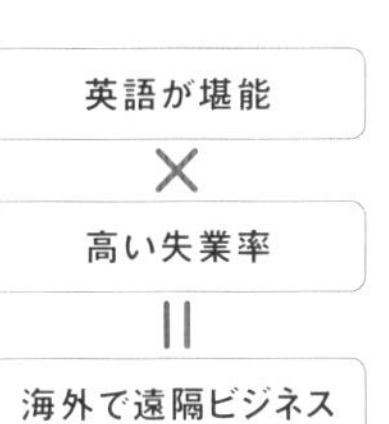

Republic of the Philippines

フィリピン国民ここが特徴

ノリがラテンで ホスピタリティ抜群

かつてスペインの支配下にあったフィリピンの国民は、性格がラテン的でホスピタリティが高く、駐在員や観光客からも愛されます。その居心地の良さから、帰国を嫌がる駐在員が続出するほどです。

英語が堪能で ビジネスに有利

失業率が高いことも影響し、英語を話すフィリピン人は、家政婦や介護士、建設作業員など、さまざまな職業でアメリカや日本など海外で働いています。その数は人口の1割を超えるといわれ、仕送りがフィリピン経済を支えています。

キリスト教徒の多くが カトリック

フィリピンの主要宗教はキリスト教で、特にカトリック信者が多く、約8割を占めます。プロテスタント、フィリピン独立教会の信者もおり、ミンダナオ島周辺にはイスラム教徒が多く分布しています。

インフラ整備に 積極投資中

フィリピンでは、2022年に向けた開発計画(PDP)が進行中。インフラ整備の一環で、国際協力機構(JICA)は南北通勤鉄道延伸事業に1,600億円を貸付する契約を2019年に締結、深刻化するマニラの渋滞の解消が期待されます。

10 インドネシア 事情

圧倒的人口を誇るインドネシアの潜在能力

Geography

バック グラウンド

多民族社会を統一したインドネシア語

1万4000もの島を有し、約300の民族が暮らすインドネシアは、その多様な文化を束ねることで、現在の社会が形成されました。中でも、最大の人口を誇ったジャワ人の言語であるジャワ語を国語にせず、インドネシア語を共通語にしたことが、あらゆる面で功を奏しています。

ジャカルタ

インドネシア共和国

人口 約2億6,690万人　面積 191万3,580㎢
首都 ジャカルタ　首都人口 約1,060万人　政治体制 大統領制、共和制
名目GDP 約11,200億ドル　一人当たりGDP 約4,200ドル　GDP成長率 5.5%

Society

1 その結果…

巨大市場をベースに活性化する社会

世界で4番目に多い、約2億6,690万の人口を抱えるインドネシアは、高い生産力と消費市場で経済を成長させています。ASEAN加盟国の中で唯一のG20メンバーであり、国際社会でも影響力を持つ大国と認識されています。

2 政治はこう

多様性を尊重する東南アジアきっての民主国家

長らくスハルトの独裁政治が続いたインドネシアですが、現在は東南アジアでもっとも民主的な国と呼ばれています。多様な宗教や民族を受け入れる土壌もあり、社会も安定しています。

インドネシアのバックグラウンド

多民族社会を統一したインドネシア語

約2億6690万人が暮らすインドネシアでは、かつてそれぞれの民族が異なる言語を話していました。オランダからの独立の機運が高まった1928年、一つの国として結束しようと、島々の若者が集まってインドネシア語を共通語とする決議をします。その後、1945年の独立で、**インドネシア語が国語**に。初等教育により国民に普及しました。

人口ボーナスはしばらく続く

約2億6,690万人が住むインドネシアの人口は今後も伸びていくと考えられます。山型からつりがね型に移行中の人口ピラミッドであり、生産年齢人口は今後も増えるので、経済規模が拡大する「人口ボーナス期」も、持続していきます。

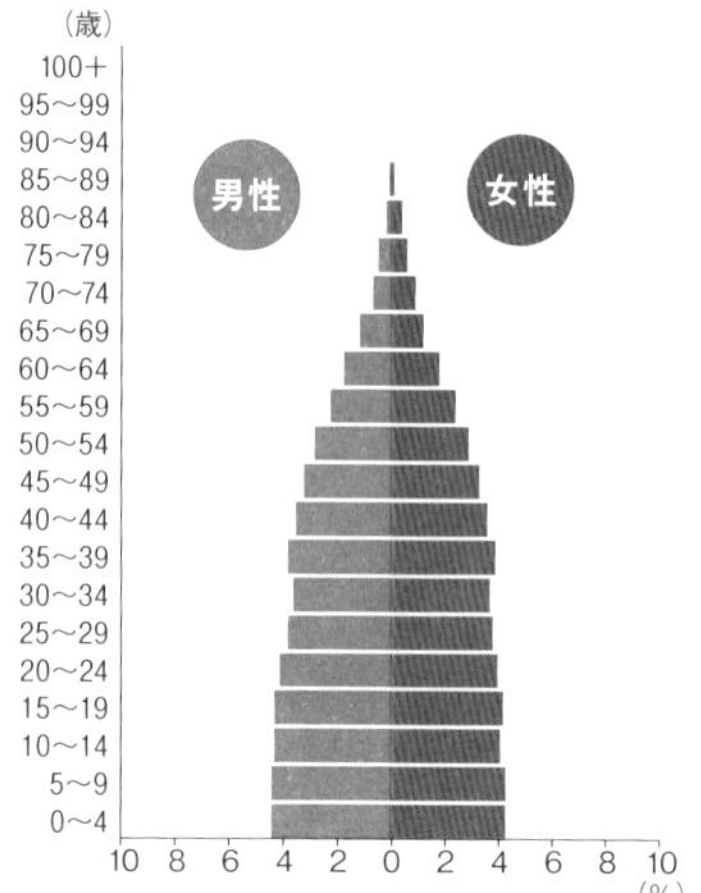

Population of WORLD 2019 より

インドネシアの日常語

インドネシア語は公用語なので、学校や職場で話されますが、プライベートな空間では、各民族がそれぞれの母語を話します。マレー語をルーツにしているので、マレーシア人やシンガポール人とのコミュニケーションも可能です。

インドネシアのリアル 1

巨大市場をベースに活性化する社会

膨大な人口を持つインドネシアの巨大市場に参入しようと、現在、各国の企業が拠点を置いています。特に多いのは、内需を期待した販売拠点の設置や**自動車や家電のメーカーの進出**です。

また、インドネシアの経済は、人口の半数以上が暮らすジャワ島に一極集中しているため、**各国がインフラ受注に乗り出しています。**

低所得層が多い市場

インドネシア国民の多くは低所得層であるため、二層式洗濯機や1ドアの冷蔵庫など、安価な家電が人気です。モータリゼーションが進んでいますが、現地では日本車が特に人気で、販売台数の95%を占めています。

日中が受注を競った高速鉄道

2016年に着工した、ジャカルタとバンドンを結ぶ高速鉄道計画で、日本は中国との受注争いに敗れました。しかし、中国の工事が滞り、当初開業予定としていた2019年から大きくずれ込む見込みです。日本は在来線ジャワ横断鉄道の高速化に協力しています。

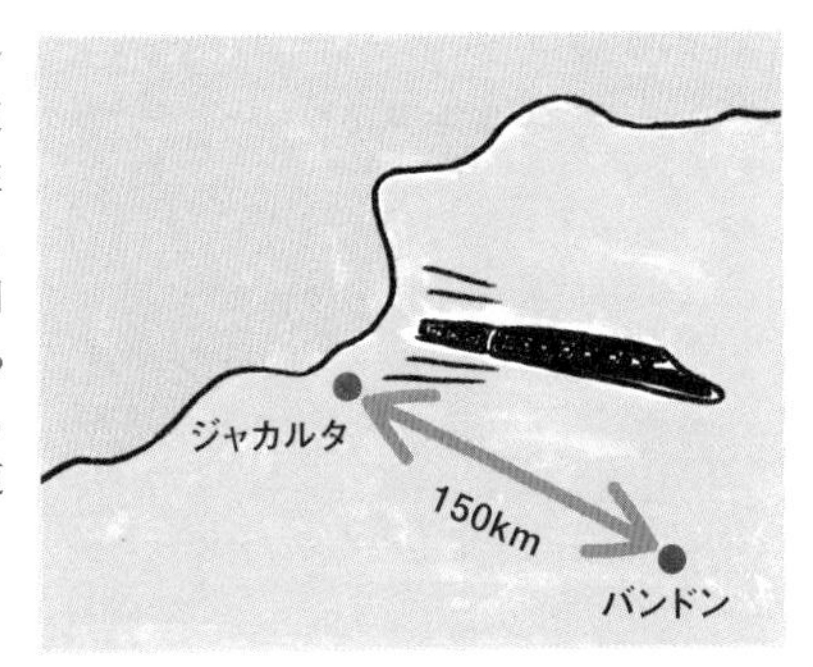

インドネシアのリアル 2

多様性を尊重する東南アジアきっての民主国家

インドネシアはかつて、強力な独裁国家でした。日本軍と連携し、オランダからの独立を指揮した**スカルノと、それに続くスハルトの長期政権時代**が、1997年のアジア通貨危機をきっかけに終焉（しゅうえん）した後、憲法の改正を経て、ようやく民主化したのが現在のインドネシアです。民族や宗教の多様性を認める現在のジョコ大統領は、国民から高い支持を得ています。

スカルノ大統領とスハルト大統領

スカルノは、インドネシア国民を一つにまとめあげ、独立を実現したカリスマでした。しかし初代大統領となった後、議会制を廃止して独裁を進め、経済を悪化させます。その後、共産党系将校のクーデター未遂事件とそれに続く共産党員や支持者が大量虐殺された「9月30日事件」がきっかけとなり失脚。その混乱を収束させ、台頭したのがスハルトです。スハルトは開発独裁によって経済を成長させますが、アジア通貨危機（P80）による経済混乱が社会不安に発展、反政府デモの圧力を受ける形で辞任しました。

Republic of Indonesia

インドネシア国民 ここが特徴

イスラム教徒の多さは世界一

インドネシアは世界最大のイスラム教徒を抱える国です。マレーシアとは違ってイスラム教は国教ではなく、ほかの宗教も認められています。しかし近年は、アルコールの販売規制などイスラム教に配慮した政策も導入されています。

巨大な国内市場を抱え悠然と構える

インドネシア人はのんびりとした性格で、シンガポールのようにがむしゃらに働く国民性はありません。潜在能力が高いものの、国内市場が大きいため、あえて輸出市場を目指す企業は多くないのです。

離島の少数民族もスマホを使用

無数にある島々の移動には、定期船や格安航空会社の旅客機を使用します。自然が多く残る小さな島々でも、インターネットやテレビ、教育機関など社会インフラ整備が進んでいます。

日本食ブームが起きている

インドネシアでは近年、日本食のレストランが増えています。丸亀製麺や吉野家、CoCo壱番屋、てんやなどが進出しており、現地で人気を獲得しています。イスラム教徒のためのハラル・メニューを提供する店舗も多数あります。

11 東ティモール 事情

2002年に独立した東ティモールが歩む道

ポルトガル植民地時代

↓

日本占領

1975

ポルトガル主権放棄・
インドネシアが事実上併合

2002

インドネシアから独立

（国際法上はポルトガルから独立）

21世紀
最初の独立国

※イラストの国旗は現在のものです。

バックグラウンド

長年の支配を経て2002年に独立

東ティモールは、インドネシアから2002年に独立した国。もともとはポルトガル領であり、オランダ、日本、インドネシアに翻弄された歴史を持ちます。

ところが…

独立後の混乱により社会構築が遅れる

自立した社会基盤の構築が遅れ、ASEAN加盟が長らく認められてきませんでしたが、2022年11月の首脳会議で加盟が原則合意。正式加盟まであと一歩のところまで来ています。

東ティモール民主共和国

人口 約130万人
首都 ディリ
政治体制 共和制
一人当たりGDP 約1,300ドル
面積 1万4,870㎢
首都人口 約20万人
名目GDP 約20億ドル
GDP成長率 0.5%

東ティモールは、ティモール島の東部に位置する国で、島の西側はインドネシアです。16世紀以来、ポルトガルの支配下にあり、太平洋戦争中は日本にも占領されています。1974年、ポルトガルからの独立の動きが強まるも、今度はインドネシア軍が侵攻し、支配。その後も独立運動を続け、2002年にようやく独立を達成しました。

しかし、政局が混乱し、社会構築が遅れたため、現在は国家財政を国際援助に依存。長年望んできたASEAN加盟も原則合意され、正式加盟に向けたロードマップが策定されています。経済ではコーヒー豆の輸出を伸ばそうとしています。

おわりに

Conclusion

日本企業が進むべき道に東南アジアへの理解は不可欠！「アジア大競争時代」から「地域的な包括的経済連携の時代」へ

本書では、東南アジアを理解するキーワードとして「多様性」を提示しました。多様性の背景を社会・経済、政治・歴史、そして各国事情に分けて解説し、多忙なビジネスマン向けに「サクッと」理解できるようにしました。

現在、企業レベルで「多様性」の必要性が叫ばれています。国籍や民族、性別など多様な人材を登用することで、価値観や思考の違いがお互いの刺激となり、新たなイノベーションやサービスが生まれやすいといわれます。

東南アジアは、1960年代後半以降、自ら「多様性」を実践し、国際的な存在感を高めてきました。小国が国際社会で存在感を示すのは至難の業です。しかし、東南アジアは「ASEAN」としてまとまることで、大国とも渡り合える交渉力を獲得し、また、首脳会議や閣僚会議の枠組みに主要国を招待することで、国際的な課題に東南アジアの意見を反映させてきました。この「小国の知恵」は、私たちにも参考になるでしょう。

逆に、「多様性」に配慮するあまり、自ら窮地に立つことも。内政不干渉や全会一致など長年にわたって培ってきたルールは、小国や政治体制面で問題を抱えている国にとっては、「居心地の良い」枠組み。しかし、民主主義や法の支配の原則とたびたび衝突、また域外大国の実質的な干渉を招くなど、地域としてまとまった対応ができず、「ASEAN限界説」を唱える声もあがっています。

それでも、東南アジアの政治や経済の動きに、私たちは無関心ではいられません。東南アジアが全世界の経済規模に占める割合はわずか3.4%。しかし、日本企業の全海外現地法人のうち28%超が東南アジアに位置し、製造業での比率は3分の1に迫ります（経済産業省、18年度実績）。日本は東南アジアの経済的存在感を大きく超える形で、長年にわたり、資本を投下してきたのです。

今後、東アジアは地域的な包括的経済連携（RCEP）時代を迎えます。この地域に広く生産網を張り巡らせた日本企業にとって飛躍する機会です。アジア大競争時代という荒海の中、本書が日本人ビジネスマンの東南アジアの理解と市場攻略の羅針盤の役割を担えれば幸いです。

助川成也

助川成也（すけがわ・せいや）

国士舘大学政経学部教授。1969年、栃木県生まれ。九州大学大学院経済学府博士後期課程修了、博士（経済学）。中央大学経済研究所客員研究員、亜細亜大学アジア研究所特別研究員、国際貿易投資研究所（ITI）客員研究員、東アジア共同体評議会有識者議員。専門はタイを中心とした東南アジア経済、FTAなどの通商戦略。

1992年よりジェトロ（日本貿易振興機構）勤務。タイ・バンコク事務所主任調査研究員、地域戦略主幹（ASEAN）など20年にわたり東南アジア関連業務に従事。2017年に国士舘大学へ。20年に現職。東南アジアの経済・通商戦略など企業向け講演も多数行う。

共著書に『ASEAN大市場統合と日本』『ASEAN経済共同体と日本』『日本企業のアジアFTA活用戦略』（共に文眞堂）、『アジア太平洋地域のメガ市場統合』（中央大学出版部）、『ASEAN経済共同体―東アジア統合の核となりうるか』（ジェトロ）など多数。

サクッとわかる ビジネス教養　東南アジア

2021年4月25日　初版発行
2023年3月25日　第3刷発行

監修者　助川成也
発行者　富永靖弘
印刷所　公和印刷株式会社

発行所　東京都台東区台東2丁目24　株式会社 新星出版社
〒110－0016　☎03(3831)0743

ISBN978-4-405-12013-6